JN107253

Middle
Note

ミドルノート

朝比奈あすか

実業之日本社

Asuka
Asahina

CONTENTS

ブックデザイン

アルビレオ

＊

イラストレーション

MIKEMORI

Middle Note
ミドルノート

Before……

三芳菜々

「ある意味、リハーサルだからさ」

と、夫の拓也（たくや）がそれを言うのは、これで三度目だった。

「そのうち上司とか、部署の先輩たちを呼ぶかもしれない。そっちが本番。今日来るのは、まあどうせあいつらなんだし、失敗してもいいから気楽にいこう」

拓也の言葉に、そうね、気楽にね、と相槌を打ちつつ、菜々（なな）は玉ねぎを薄切りしている。

夫がさっきからサイドボードの上の写真立てや時計の角度を微調整するなど、落ち着かない様子だということには気づいていた。彼は昨日突然リビングの壁に対し「このあたりが寂しい」などと言い出し、会社帰りに花屋でリースを買ってきて飾った。同期が集まるホームパーティで、夫が思う「失敗」とは、いったいどういうものなのだろうと菜々は思う。

「こういう機会でもないと集まれないもんね、楽しみ～」

菜々は、拓也をリラックスさせようと明るく言いながら、まな板の上でうすい紙みたいになった玉ねぎを、ボウルにためた水に入れる。すでに何品か用意していたし、皆にご飯ものやサラダなど割り振ってもいるのだが、ちょっと思いついて、刺し身をただ出すだけでなく、マリネにすることにしたのだ。妊婦の自分はアルコールを飲まないが、レモンできゅっとしめた生魚は、最初のシャンパンに合うだろう。

「西や坂東とも、もうずっと会ってないなー」

「麻衣はTwitterよく更新してるから、社内の子より会ってる感じがするよね」

「あいつ、暇なのかな」

と、ようやく拓也が笑った。

今日は、同期の元イツメン四人と、菜々の隣の部署で働いている岡崎彩子が来てくれる予定だ。

「お。噂をしていたらさっそく板倉が俺らのことツイートしてるぜ」

拓也がスマホを見せてくれた。

Mailtakura: 以前勤めていた会社の同期夫婦の新居訪問！　楽しみなんだが

同期の中で板倉麻衣だけが本名でTwitterをやっている。華やかで趣味も多い麻衣はSNSでも人気があり、フォロワーが千人以上いるのだ。

「嬉しいけど、こんなふうに書かれると、ちょっと緊張するね」

菜々が言うと、拓也が、

「板倉って、今何してんだろうな。なんか聞いてる?」

と訊いてくる。麻衣を呼びたいと言った時は、辞めたやつを呼ぶことないだろとぶつぶつ言っていたのだが、「辞めたやつ」の現在に興味はあるようだ。

拓也と菜々は、新卒で勤めた食品会社の同期として出会った。

同期は何十人といるのだが、新入社員研修でそれぞれ別の工場に割り当てられた。たまたま同じ工場で研修を受けた六人が、同期イツメンとして今でもSNSのグループでつながっている。その中で、菜々と拓也の交際は意外な組み合わせと皆を驚かせたものである。

入社して十年近くにもなると、六人の歩む道は六通りに分かれてくる。麻衣はすでに会社を辞めていて、WEBのライターに転身していた。西孝義（たかよし）は入社二年目で地方の事業所に転勤になり、おととし戻った。坂東賢太郎（けんたろう）は昨年子会社に出向し、ふた月前に戻った。皆それぞれに忙しく、声をかければ簡単に集まれるような関係ではなくなってきているが、SNSの中での付かず離れずなほそぼそとしたやりとりが、縁をつないだ。

坂東が子会社から戻ってきたのを機に、久しぶりにSNSグループのやりとりが活発化した。久々に同期会しようという話が出ると、麻衣が菜々たちの新居に行きたいと言い出した。嬉しかった菜々はすぐに「OK来て来て」と軽い気分でレスしたのだが、これに拓也が不機嫌になった。

不機嫌といっても、何か文句を言ってくるわけではない。拓也は思ったことが顔に出やすく、言葉も少なくなるので、気持ちの上がり下がりが分かりやすいのだ。

賃貸の部屋に住んでいた頃は狭さを理由に、マンションを買ってからは菜々が妊婦であることを理由に、拓也は客を招きたがらなかった。友達だけでなく、双方の親を呼ぶのも渋った。

だが、今回ばかりは、菜々は拓也に頼み込んだ。一足先に母親になった同期の江原愛美（えはらまなみ）から、赤ちゃんが生まれたら生活が一変すると聞いていたからだ。身軽なうちに皆を招いて、楽しい時間を持ちたかった。

たまたま同い歳だと知っただけで、つい隣の部署の彩子にまで声をかけてしまったくらい、菜々は人を招いてもてなすのが大好きだ。

彩子には断られるだろうと思ったら、「行きます」と即答してくれた。同年とはいえ同期入社ではないので、仲間うちで盛り上がりすぎる感じになったら申し訳ないが、気遣いのできる愛美がいるし、麻衣や西とも久しぶりだから、新顔がひとりくらい交ざっているくらいのほうが会話にバランスが取れるかもしれない……などと、知らず知らずにチーム決めを考えるような基準で、菜々はメンバーの顔を思い浮かべている。作る料理などを考えているうち、拓也の不機嫌については忘れていた。

今思えば、郊外にある拓也の実家に菜々が行くと、義母はたいていテンパっていた。真新しいスリッパを出され、窓の汚れについてしきりと言い訳され、かえって恐縮したのを覚えている。客を招くことに慣れていない家だったのだと思う。

一方、地方の町で理容店をやっている菜々の家は、人の出入りが絶えなかった。店の並びに空き地があり、菜々の友人も、菜々の弟の友人も、それから関係ない近所の子も、そこで遊んでは、店に麦茶を飲みに入ってくるという具合だ。菜々の両親は、客の邪魔にならない限り、それを許した。

中学生にもなると、菜々は見様見真似で夕ご飯の支度をするようになった。両親に褒（ほ）められ、感謝され、料理は得意分野になった。それゆえ今、食品会社に勤めているというのもある。入社採用面接でも、小学校の頃から今までに千のレシピを考えました、とうそぶいた。

千は大げさなキャッチコピーだったが、オリジナルレシピは百をくだらない。東京の大学に通うのにひとり暮らしを始めてからも、楽しみながら自炊した。小さな部屋に女ともだちやサークルやゼミの先輩後輩を招き、オリジナルのつまみをちゃちゃっと作ってもてなし、「居酒屋・菜々」と呼ばれたりもした。

そういえば新人の頃も、愛美と麻衣を居酒屋・菜々に招いたな……。

一人住まいの1Kに、彼女たちが遊びに来てくれた日々を思い出すと、自然と笑みがこぼれる。すでに社会人になっていたのに、青春、って感じがするほど懐かしい。慣れない工場勤務の愚痴をこぼしたり、現場監督に叱られたことを嘆いたりしている彼女たちの傍らで、もくもくと料理を作った。ひと口コンロと電子レンジを活用し、何品も創り出す菜々に、愛美も麻衣も歓声をあげたものだ。

合宿みたいな雑魚寝(ざこね)お泊まり会をしたこともあったっけ。背中が痛くて眠れないと、麻衣が不機嫌になった夜を思い出して、菜々はくっくとちいさく笑う。

社会人になってから、新しい友達ができるなんて思っていなかった。同期とこんなふうに仲良くなれるなんて、自分はラッキーだと思う。

友達といっても、学生時代のそれとは違って、会社の同期というのは、チーム戦の一員のような熱い同志感のようなものがあり、特別な仲間だ。麻衣はすでに会社から離脱してしまったが、それでも声をかければこうして来てくれる。

菜々は目を細め、今日彼らに見せるリビングを眺める。

塗り上げた白い壁に、きれいな朝日が差し込んで、フィカス・アルテシーマやシルクジャスミンといった観葉植物の葉を、つやつや光らせている。

拓也がひとり暮らしの頃から育てていたきれいなかたちの植物は、彼が選んだビンテージ風の家具の風合いと調和し、住んでいる菜々も時おり写真を撮りたくなるほどに美しい。

あの、家賃五万の1Kに住んでいたわたしが、ね。

双方の両親に少しずつ出してもらった資金にふたりの貯金を足して頭金を作り、三十五年ローンを組んだ六〇平米。東向きの中古とはいえ、ベランダに面した二部屋をつなげてつくったリビングルームは、拓也のおかげでいつも片付いていて、まるでカフェみたいだ。

昨日彼が買ってきたリースは、菜々なら選ばないだろうグリーンのものだった。楚々としたリースを白い壁につけたとたん、空間があか抜けた。

初めて会った時から、拓也は服装や持ち物がひときわ洒落(しゃれ)ていて、菜々がそれまで出会ってきた男子とはタイプが違った。ファッションやインテリアの専門誌を熟読し、雑貨の写真を撮ってSNSにアップするような男の子に、菜々はそれまで会ったことがなかった。

拓也に付き合おうと言われた時、自分でいいのかと、菜々はびっくりしたものだ。拓也は菜々以上に結婚願望が強く、付き合って半年後にはプロポーズをされ、人生の急展開に菜々は少々たじろぐほどだった。

鯛の柵を薄切りしていると、トイレや洗面所など水回りの最終点検をしてきた拓也が、

「そういえば菜々、ずっと立ってるじゃん。料理も後はやるから、ちょっと座ってなよ」

と言ってくれた。

「大丈夫、大丈夫。もうこれだけだから、作っちゃう」

優しい言葉に嬉しくなって、明るく言う。

つわりの時期はいつも眠くてだるかったが、安定期に入ってからは比較的体調がいいのだ。

以前は、電車などで妊婦さんを見かけると、あんな体で出歩いて大丈夫なんだろうかと心配になったが、自分がなってみると案外やっていけるものだった。というより、まだ妊婦に見えない時期のほうがずっとつらかった。妊娠初期を命からがら乗り切り――本当に、あの吐き気と眠気の中で、よくぞ働けたものと思い出す――、明らかに妊婦に見える今、むしろ体の奥に力がみなぎってきた気さえする。

と思った時、下腹をキュウッと押される感触がした。

「痛っ」

最近、こういう感じがたまにある。やはりこの体で無理は禁物か。

「だから、座っててよ」

拓也が少し声を尖らせたので、菜々は慌てて台所を離れた。本当はもう少し水にさらしたほうが良いのだが、拓也の機嫌を損ねたくはない。菜々は急いで刺身と玉ねぎをマリネ液に漬けると、台所を離れた。

少し前から、こんなふうにお腹が時おりキュウッと張る。ちょっと座ればすぐ元に戻る。拓也はその感覚が分からないから過剰に心配してしまうのだろうけど、自分で、これは大丈夫だと分かっている。先週行った産婦人科でも、良い経過をたどっていると言われていた。

お腹の中の子に、早く会いたい。そう思う一方で、この子を産むことで、生活がガラリと変わるのが少し怖い。育児関連のブログや情報誌などをいくら読んでも、赤ちゃんを産むことや育てることがどんな感じなのか、その実際をイメージすることができないでいる。

菜々は、長い休みに入る前に、皆を家に招きたかった。せっかく同期どうしで結婚したのだから、この先もイツメンとは家族ぐるみで付き合っていきたい。子どもが生まれてからも、気楽に遊びに来てもらえる下地を作りたかった。

*

ホームパーティを終えると、菜々は拓也に部屋の片付けを任せて、マンションのエントランスまで皆を見送った。そして、頬に笑みを残したまま、エレベーターに乗った。

――めっちゃお洒落なんですけどー。

――星野リゾートかよ。

――雑誌の中の部屋みたい！

来てくれた時、皆は拓也と菜々のリビングを口々に褒めそやした。出した料理もほとんどなくなった。

――ひさしぶりだなあ、菜々ちゃんの料理。

――ほんと、何を食べても美味しいから。

――「居酒屋・菜々」、思い出す～。

きょとんとしている彩子に、愛美が「居酒屋・菜々」を説明してくれた。

――菜々ちゃんはね、純粋に料理が好きで、うちの会社に入ったクチなのよ、意外に珍しいの、そういう人って。

麻衣が、女子四人にオリジナルの香水をくれたのも嬉しかった。

無水エタノールと精油を混ぜて、自分で調合したオリジナル香水だという。

これまで菜々は香水なんて、興味を持ったこともなく、つけたことも数えるほどしかなかったが、最近「アロマデザイナー」を名のり出した麻衣は香水に凝っているようで、いろいろレクチャーしてくれた。

香りに三段階あって、トップノート、ミドルノート、ラストノート、と時間差で香りが変化してゆくというのも初めて聞いた。

集まった女子四人で同じ香水をつけたら、においがきついと男子同期たちに言われ、ベランダに追い出された。出る時にちらっと見たら、拓也も愉快そうな笑顔だったから、ほっとした。

ベランダには椅子がふたつしかなかったが、妊婦の菜々が座り、残り三人は手すりにもたれた。そして皆で、夜空を見た。頰に、さっぱりとした秋の風が吹き抜けていき、月が、絵本のようにぽっかりとのぼっていた。

——いいなあ、こんな暮らし。

麻衣が言い、憧れるように彩子が頷き、愛美が、

——出産したらドタバタの日々になるから、今のうちに夫婦の時間を味わっておくといいよ。

と、先輩ママらしいことを言った。

自分の家のベランダに、女ともだちがいるこの光景が、あたたかく素敵なものに感じられた菜々は、

——子どもが生まれても遊びに来てね。

と、ほとんど祈るような気持ちで言った。

いいんですか？　やったー。行く行く。

三人が口々に言ってくれた時、菜々はぽろりと涙を流した。

――ええっ。どうしたの？

麻衣がびっくりしたように笑った。

――あれ、なんでだろ。

菜々が一番びっくりしていた。どうして、涙なんて。慌てて拭って首を傾げると、愛美と目が合った。愛美は何も言わず菜々の隣に座り、背に手をそえた。

誰にも言えないでいるが、菜々は最近、うまく眠れないのだ。

この先のことを考えると、なんだか怖くて、悲しくて、涙が出てしまう。そんな夜が続いていた。

会社を長く休むこと、初めての赤ちゃんを産むこと、そしてこれからその子を拓也とふたりで育ててゆくこと。

幸せなステップに思えるこの先のすべてが不安だった。取り返しのつかないことの始まりのような気がしていた。育児ブログや情報誌を読んで、この感情はよくあるマタニティブルーなのだと理解していた。だけど、分かっていても、かき乱される心とこぼれてしまう涙を、菜々はコントロールできなかった。

だから、ベランダから部屋に戻る一歩手前で、

――何かあったら、いつでも連絡してね。

愛美が菜々にだけ聞こえるように、そっとささやいてくれた時、本当に嬉しかった。

今日、あの子たちを呼ぶことができてよかったなと、心から思う。

皆の姿が道路の遠くに消えるまで、菜々は笑顔で見送った。その笑みがまだ消えきらない表情のまま、拓也が待つ部屋へと帰る。きっと、拓也も楽しかったはずだと信じている。彼も同期に会えて嬉しそうだったし、たくさん笑っていたし。

だから、エレベーターを降りて、部屋に帰った菜々は、拓也から、

「こういうの、もうやめような」

と言われた時、ぽかんとした。

「こういうのって?」

「だから、こうやって、家に人を呼ぶこと」

さっき笑顔で、片付けは俺がやっておくから皆を見送ってきてよ、と言ってくれた拓也が、居間のソファにだらっと座ったまま、不機嫌な顔で足を組んでいる。その真正面にはテレビがついていて、スポーツニュースが流れている。

「え、どうして」

菜々は訊(たず)ねた。

拓也は返事をしなかった。

無視、か。菜々は下くちびるを噛む。拓也には時々こういうことがある。機嫌が悪くなると、口をきいてくれなくなる。

「何怒ってるの? わたし、なんかした?」

訊ねたが、やはり無視される。

——わたし、なんかした?

結婚してから、菜々はそれが口癖になっていた。

拓也が不機嫌になるたび、菜々は自分の失態を顧(かえり)みる。何かをしてしまったはずなのに、それが分からないから焦る。

しかし今日はひとつ、心あたりがあった。

「香水のこと、まだ怒ってるの？」

おそるおそる訊ねると、拓也はため息をつき、

「そういうとこだよ」

と言う。

そういうとこ？

菜々には分からなかった。

――こいつ、ほんと、鈍感なんだよ。

さっきも拓也が皆に言ったが、自分が鈍感だという自覚は菜々にもあった。

デザートの前に、麻衣が女子三人に、手作りの香水をくれたのだ。トップノートが柑橘っぽい爽やかな香り、それでね、しばらく時間がたつと風合いが少しずつ変化するの、そこから続くミドルノートが、すみれ。そんな説明をしてくれた。

香りが徐々に変化するって、なんて素敵なんだろう。菜々は、すぐさま嗅いでみたくなった。

感想を言って、麻衣を喜ばせたいと思ったのだ。

――え、そんなに。

と、麻衣が笑ったのを覚えている。しゅっしゅっしゅっしゅっと、続けざまにプッシュしたのは、確

かに勢いが過ぎたかもしれない。

思ったとおりに素敵な香りが漂った。だが、菜々が感想を言うより前に、拓也が、

——食事中に香水つけるやつがいるかよ。

と言った。そして、呆れたように皆に言った。「こいつ、ほんと、鈍感なんだよ」と。

——あ、ごめん。

慌てて謝った菜々にかぶせるように、麻衣が、

——いいでしょ！　いい香りなんだから！

とフォローしてくれた。

——これ麻衣ちゃんが作ったにおいなの？

と訊きながら、愛美も自分の肌に香水をプッシュした。

香水のことでなければ、何を拓也は怒っているのだろう。理由を言ってくれないと、鈍感な自分には気づけないのだと菜々は思った。治そうとしているのに、どうしても治らない。一体どうしたらよいのだろう。

昔から自分はうまく空気を読めない子だったと思う。他の子が実は気にしていたことをポロッと口にしてしまうようなところがあった。他意なく発した一言が場を凍らせたり、目の前の顔をこわばらせたりすることが、何度も。

でも、いつだって悪気はないのだ。菜々は、その輪の中の誰かが深刻な顔をしていたり、何か深い話をし始めたりすると、とにかく焦ってしまう。そして、その場の全員が楽しく盛り上がれるよう、ついついインスタントな笑いに走る。会話の内容より、その場のノリを重んじる。明る

い空気で誰とでも楽しくやっていたいから、おかしな方向に頑張ってしまい、そのせいで、秘密を打ち明けるには浅薄すぎるという印象を与えた。

そのせいか、女ともだちから恋バナをされたこともなかった。実は誰と誰とは付き合っているというような話を、後になって自分だけ知らなかったことが何度もあった。仲が良いと思っていた子からも、最後まで打ち明けられなかったりした。そういう時は、もちろん傷つくけれど、傷ついている姿を見せて周りに心配をかけるのが嫌だったから、何も考えていないふうを装った。

大人になってもまだうまく空気が読めなくて、菜々は拓也に迷惑をかけてしまうのだ。

菜々がひそかに抱え続けたそんな鈍感コンプレックスを、しかしかつての拓也は、美点としてまっすぐに見てくれた。

——菜々の裏表ないところが好きなんだな。

以前はそう言ってくれたのに……。


ふたりは、付き合い始めてから結婚までが早かった。

きっかけは一年半前、愛美が同期の中で一番乗りで課長に昇進した時だ。二十代での課長は会社始まって以来ということで、愛美は社内外から注目され、メディアの取材を受けたりもした。

そんな愛美の昇進祝いをしようと、予定を合わせて皆で集まった時のこと。開始時間を過ぎてもなかなか人が集まらず、時間通りに来ていた拓也と菜々はしばらくふたりきりで待っていた。

新人の時からの付き合いとはいえ、ふたりきりになるのは初めてのことだったから、菜々はひそかに緊張した。それまで、大勢で盛り上がったことはあれ、拓也と向き合ってきちんと話したことはなかった。緊張の裏返しで、菜々のテンションは上がり、持ち前の明るさでバカ話を繰り出して、沈黙に陥らないように頑張った。そうやって繰り出す必死のバカ話を拓也が全く広げてくれないものだから、やがてネタ切れしてしまった。

何か話さなきゃと思って頭の中をぐるぐる動かしていた時、拓也が急に、

――あのさ……

と、低い声で言い、顔を寄せてきた。そして彼は菜々に、ひとりで抱えこんでいたという仕事の悩みを打ち明けた。

彼が、学生の頃に広告やメディア系の仕事を希望していたことは知っていた。内定が取れたのが、化学繊維メーカーと中堅商社と食品会社の三つで、田舎に住む親の勧めで知名度を優先してこの会社を選んだということも、新人の頃の飲み会で聞いていた。

拓也は最初の配属で輸入開発商品部に所属した。海外出張もある、洒落た部門で羨望の的だった。去年、営業部に配置換えになったが、それも出世コースである。

しかし本人いわく、輸入開発の仕事で成果を出せず営業に「飛ばされた」らしい。営業部門では部長にこそ気に入られているが、取引先のスーパーの店長に嫌われている……、後輩にも認めてもらえない……、そもそも仕事が合わない……、宣伝か広報に異動希望を出したいが営業部長に気に入られているから初年度から異動願は出しにくい……。

つらそうに話すその言葉に、菜々は心を打たれた。何もかもスマートにやってのけそうに見える拓也が、弱さを見せてくれている！　こんな自分に！

その後、仲間たちが現れ、拓也の話はブツ切りになった。菜々は、彼が何事もなかったように

明るく振る舞うところにも感動した。自分はつらいのに、明るい笑顔で愛美を称え、皆で盛り上げようとしている姿を、健気に感じた。皆で話している中で、拓也と目が合うたび、菜々の心臓は痛くなった。あの日すでに恋に落ちていた。

——さっきは弱いところ見せてごめん。

その夜、拓也からメッセージが来て、そこから個人的なやりとりが始まった。

ふたりで会うようになると、拓也は営業の仕事で直面しているきつさやつらさをこぼした。菜々は拓也を励まそうと、自分こそ職場でポンコツなんだと大げさに話した。所属している総務部の仕事で、こんなミスをした、上司や先輩にこんなことを言われた、と、とにかく拓也を笑わせたくて、楽しく話した。

それまで口に出したことはなかったが、話してみたら菜々にも仕事の不満はあった。

そもそも食べることが好きで、料理が好きで、だから冷凍食品に強いこの食品会社を選び、商品開発を希望して入社したのだったが、配属されたのは管理部。事務職員の制服の管理、会社全体の備品の管理、イベントや会議の設営や準備、株主総会の準備……。自社の商品に直接関わることもなく、他部署の社員たちのあらゆる活動を補佐し続けた。最初こそ新人が配属されるなんて珍しいと喜ばれ、菜々も張りきってきたが、そのまま後輩は入って来ず、同じメンバーで、皆の末っ子状態のまま今に至る。

——もともとわたしは冷食の開発を希望してたんだよ。企画もいっぱい出したし、面接で手応えあったんだけどな。けど、結局わたしが総務の仕事を覚えすぎちゃって、今さら新しい人を育てるのもって感じになっちゃったみたいで。

菜々がこぼすと、

――会社は個人の希望より、全体の利益を重んじるものだから、菜々は総務に向いてるって判断されているんだよ。

と、拓也は言った。

それは、菜々に向けた言葉のようで、自分に言い聞かせているのかもしれず、自分の置かれた状況とはまた違う角度から物事を見られる拓也の姿に、菜々はますます惹かれていった。

急速に距離は縮まり、数回目のデートで拓也に付き合おうと言われた時にはびっくりした。

入社して間もない頃に拓也が麻衣と付き合っていたという話は、その頃に彼から直接聞かされた。

――気にしてるんじゃないかなと思って。一応、俺の口からもちゃんと言っておくけどさ……

という切り出し方で、今後は個人的に連絡を取ることは一切ないと真顔で説明された時、菜々は驚いた。気にしているも何も、初耳だったからだ。一方、麻衣との関係を菜々が何も知らなかったことに、拓也はびっくりしたようだった。同期の全員が知っていることだと思っていたらしい。

――鈍感にもほどがある。

拓也は声に出して笑った後で、それでこそ菜々だよな、と愛おしそうな目を向けた。そして、

――菜々の裏表ないところが好きなんだな。

と、朗らかに言ってくれた。

その後、菜々がさりげなく愛美に訊いてみると、麻衣と拓也のことは当たり前のように知っていた。でもすぐ別れたみたいだよ、と愛美から気遣うように言われたが、不思議なくらい嫉妬心

が湧かなかった。あんな美人な元カノがいたのに、自分でいいのかなと思ってしまったくらいだ。

今日、久しぶりに皆で集まった時、拓也と麻衣はさっぱりとした表情で楽しそうに談笑していて、菜々はほっとした。別れたり結婚したり、退職したり転職したり、いろいろなことがあっても、同期はずっと同期だ。菜々は皆と仲良くやっていきたいし、皆にも仲良くし合ってほしい。

せっかく楽しい時間だったのに、こんなふうに終わらせるのは悲しい。

「麻衣ちゃんがせっかく作ってくれた香水だったから、その場で香ってみたかったんだよ」

「『香って』って何。『嗅いで』、でしょ」

と、拓也は細かい指摘をし、ため息をついた。そして、仕方なく話すというていで口を開き、と言った。

「今日さ、なにげに俺ばっかり働いてたことに気づいてた？」

「え……」

一瞬、何を言われているのか、意味が分からなかった。

「気づいてなかったよね。菜々はずっとそこに座って、皆とワイワイやってたから。その間、俺がひとりで、皆に飲みものを注いだり、料理を取り分けたり、食べ終えた皿を流しに持っていったりとか、全部やってたんだけど、気づいてなかったよね」

それは、そうだった……かもしれない。

だけど、

「ご飯はわたしが全部作ったし、運ぶのや洗うのは愛美たちも手伝ってくれたじゃん」

菜々が言うと、

「だからそれがストレスなんだよ」

拓也が吐き捨てるように言った。

「そもそも俺は他人が台所に入ってくるの微妙だし、冷蔵庫も開けられたくないんだよね。江原とか、勝手に何度も開けてたし」

「わたしがビールを持ってきてって頼んだからだよ」

「あいつ、まじで無神経だよな」

「だからそれはわたしが……」

「結果、部屋もこうなるし」

と言って、拓也はまだ片付けが終わっていないリビングを見渡す。

さっき星野リゾートですかと言われたばかりの空間が、たしかにうっすら淀んで見えた。でも、食べたものは皆が少しずつ台所に運んでくれたし、言うほど散らかっているわけでもない。このくらいなら、ちょっと片付ければすぐにきれいになるだろう。今日は疲れているのだし、片付けを明日に回して寝てしまってもいいと菜々は思うのだが、きれい好きの拓也には耐えられないようだ。

「分かった。片付ける」

菜々が言い、立ち上がろうとすると、

「いいよ」

その腕をつかみ、拓也が制止した。

「こういうのが嫌なんだよ。別に俺は、菜々に片付けろなんて言ってないじゃない。むしろそうやっていきなり被害者ぶるのやめてくれる?」

被害者ぶる?

「俺が言いたいのは……」と言ってから、拓也はひと呼吸おき、「俺が言いたいのは、つまり、妊娠中に人を招くのは、やっぱり無理があるってこと。分かってたよね? 結局俺がサポートするしかないってこと」

何か言い返そうとして、菜々は言葉に詰まった。

いろいろ言いたい気持ちはあったが、何をどう言えばいいのか分からなかった。拓也にまくし立てられると、鈍感な自分が無意識に彼を不快にさせてしまったような気もしてくる。

「ふつうに考えれば、菜々の大きなお腹を見たら、他の皆だって気ぃ遣うじゃん。坂東も西もドン引きしてたしさあ」

「ドン引きしてた?」

「してたよ。気づかなかった? 少なくとも俺は、呼ばれて行った家で、ホストがそんなお腹だったら引くわ」

菜々は息が荒くなってくるのを感じた。お腹がキュッと痛くなる。妊娠してから、拓也に色々叱られるたびにこうなった。鈍感な自分が気づけないことを、拓也は気づく。そして整然とした言葉で正してくる。彼を困らせ、傷つけるようなことを、自分はいつも無意識にしてしまうのだ。

黙り込んだ菜々を見て、拓也は小さく息をつく。そして言う。

「もういい歳なんだし、自分中心に世の中が回ってるって思わないほうがいいよ。菜々は、そういうところが、まだ成長しきれてないっていうか、ちょっと幼稚なんだよな。ひとり暮らしのうちは自分のやり方で生きていればいいけど、結婚して共同生活するようになったら、パートナーの気持ちも考えるべきだし、全体を見るようにするのが大人ってもんだろ。少なくとも俺はそうしてる。だから、こういう状態の時に大人数招くとか、最初から反対だったんだよね、俺は」

「でも……でも、拓也くん、今日はリハーサルだって言ってたじゃん。いつか上司や先輩たちを呼ぶためのって……」

喘(あえ)ぐような声で菜々は言った。

「だからそういうのも、俺はいいや。ホームパーティとか、海外じゃあるまいし」

「え……」

準備をしている時に、「リハーサル」だと拓也が言ってくれたのが、菜々には嬉しかったのだ。この先も、人に気軽に来てもらえるような家になっていく気がした。

「でも、楽しかったでしょ？」

せめてそれだけは確認したいと思って菜々が言うと、

「別に、それほど。外の店で集まったほうが楽しめた」

と、拓也は答えた。そして、

「俺がいま一番大事なのは、菜々の体なんだよね。菜々に負担をかけるようなことをしたくないわけ」

と、続ける。

そう言われると、何も言えない。

拓也はため息をつくと、ゆっくり立ち上がり、部屋を片付けてゆく。テーブルの上にも、カウンターにも、何も置かない。床の埃を乾拭きワイパーで拭きとる。

黙って座ったままの菜々が居心地の悪さを感じていると、風呂が沸いたのを告げる音楽が鳴った。

その音を聞き、自分が見送りに行っている間に、拓也が湯舟を掃除して給湯しておいてくれたことに気づいた。

拓也は、文句を言うばかりではなく、こうして家事を引き受けている。部屋をきれいに整えてくれている。

――俺がいま一番大事なのは、菜々の体なんだよね。菜々に負担をかけるようなことをしたくないわけ。

こんなに優しいことを言ってくれるのだから、感謝しなくてはと思う。

風呂から出ると、拓也がソファに座り、今日残ったワインで晩酌をしながら、テレビを観ていた。ワイングラスはふき取りが面倒くさいからだろう、ガラスのコップに入れている。住まいを清潔に保ちつつ、雰囲気よりも効率を重んじるところが彼にはあった。

「さっき、お風呂の中でコロちゃんに蹴られたよ」

隣に座って、菜々が言うと、

「お、まじ?」

拓也が身を乗り出した。急に機嫌が良くなった気がする。部屋が片付いたからだろうか。

「ここ。ほら、なんか、まだお腹のかたちが少し変だよ」

そう言うと、拓也が菜々の腹の上にそっと手をあてた。

菜々の腹の大きさは、そのまんま中にいる愛おしい赤ちゃんの成長の証だ。

しばらく前から菜々はこの赤ちゃんに「コロコロちゃん」と名前をつけた。お腹の中で、コロコロと動くようになったからである。コロコロちゃんは、いつの間にか、コロちゃんと略された。健診で、男の子だろうと言われているので、コロ太郎と呼ぶこともある。

最近はコロちゃんの動きは活発で、足を動かすと、内側から押される感覚がある。しゃっくりをすると、お腹の中から痙攣が伝わってきて、それもまた面白いと菜々は思った。

「ここに足があるな」

菜々のお腹の、片側の少し偏るように膨らんでいる部分を触りながら、拓也が優しい声で言った。

拓也が分かるように、コロちゃんに動いてほしいなと菜々は思ったが、風呂の中でひと暴れして疲れたのか、コロちゃんは今はおさまっているようだった。

「そういえばさっき、江原からラインが来てた」

と、拓也が言った。

「こういう時、同期とはいえ、その日のうちにきちんと礼を言うのとか、大事なことだよな。あいつはさすがだよ」

さっき愛美について「まじで無神経」などと言っていた拓也が、今は「さすが」と褒めている。

菜々は、拓也の別の言葉を思い出した。

——坂東も西もドン引きしてた……

さっきそう言われたけれど、よく考えてみたら、実際に今の自分はこの体で通勤しているのだ。

昨日も会社に行ったのだ。出向していた坂東とは、妊娠以来顔を合わせてなかったけれど、西とはこの間も同じエレベーターに乗り合わせた。普段通りに見えたが、実は彼も心の中で『ドン引き』していたのだろうか。菜々は不安になる。他のみんなにも、自分は無神経って思われてるのかな。

腹を触っていた手を離し、拓也はそれを菜々の後頭部に移して、髪を撫でた。その手の動きは、拓也なりに言い過ぎたことを反省しているのかもしれないと思わせるほどには優しかった。しかし、皆に囲まれて楽しかった時間は、すでに菜々の中から失われていた。もう二度と、この家に友人たちを呼ぶことはないのだろうと思うと、また涙が出そうになって、菜々は拓也に見せないように、きつく目を瞑(つむ)った。

板倉麻衣

生暖かい風が首筋を通り抜けてゆく。晴れた夜空に爪先のような形の月がすっと浮かんでいる。暗く静かな住宅地を、遠足みたいにぞろぞろと歩く大人五人の、最後方に麻衣はいた。新婚の同期の新居に呼ばれた帰り道だった。

前方では愛美と坂東と西が何やらにぎやかにしゃべりながら歩いている。集まるのは久しぶりだったから、皆、別れがたい気分なのだ。住宅地なので少し気を遣いながらも、話し足りないとばかりに盛り上がっている。

なにしろまだ九時過ぎだ。菜々が妊婦だから、何となく皆が気を遣って早めに解散したのだが、麻衣はなんだか物足りなかった。昔は日付が変わるまで平気で飲み歩いていた仲間たちなのに。家庭を持つ同期も少しずつ増えてきて、皆の中にうっすらとした健康志向が感じられる。昔みたいに、朝まで飲み明かすようなノリは消えてしまったようだ。

彼らの姿を視界に入れつつ、麻衣はさらに少し歩みを遅らせて、スマホをチェックした。

画面の中に、見ていなかった時間分の通知が溜まっていた。

今日は三芳と菜々の新居を訪ねる直前に、「自分がもらったら嬉しい手土産を持っていく」というブログ記事を書いた。今日、実際に三芳と菜々に渡した手土産の入手先を記した記事で、いくつかのSNSのアカウントで手広く宣伝していたのである。

そこではもちろん自分が作った香水の宣伝もした。麻衣は、いつか自分の香水ブランドを立ち上げてSNSを通じて販売ができたらいいなと考えている。販売への具体的な道筋を描くところまでは行っていないが、フリーランスのライターになってから、肩書のひとつにアロマデザイナーを加えていた。精油や香水について学ぶ教室にしばらく通い、筆記試験を受けて資格を取った。民間資格ではあるが、取得のためにかけたお金と時間はそれなりのものだった。自分が作った香りを気に入っているし、先生にも「清楚な中に深い甘さが感じられる」という褒め言葉をもらった。「マイノート」と名づけたその香りを、麻衣が初めて贈ったのが、今日会った菜々、愛美、そしてもう一人、ゲスト的な感じで来ていた事務の女の子だった。

さて、自分のブログ記事にどれだけ反響が来ているか。麻衣はスマホに目を落とす。思ったほど「いいね」が来ていなかったので、ひそかに意気消沈しながら、スマホを閉じた。

ふいに横から声がした。

「香水、わたしまでいただいちゃって、ありがとうございました」

それは、「ゲスト的な感じで来ていた事務の女の子」だった。

「ああ、いえ、気に入ってもらえたら嬉しいけど」

麻衣は微笑みながら返した。

すると彼女は続けた。

「わたし、香水なんて初めてで。でも、麻衣さんの説明が分かりやすかったので、使ってみたいと思います」

麻衣さん……

「ええ、ぜひ」

にっこりと笑って見せながら、向こうが「麻衣さん」と呼んでくれたのに、自分はこの子の名前を知らないと思った。最初に菜々が紹介してくれた気がするが、覚えていない。そんなことより麻衣は、拓也と菜々がこしらえた新居のさまに気を取られていたのだ。

ふたりの新居……。星野リゾートのようだと坂東が言ったが、そういう感じには思えなかった。

ホテルの内装というのはそれぞれの狙うコンセプト——豪華さや温かみや華やかさなど——を差し込んで整えられている。一方、拓也たちの新居は、言っちゃ悪いが無味乾燥というか、ほとんど遊びの部分がなくて、寒々しく見えた。壁面はすべて収納となっているのか直線がいっぱい刻まれ、家具と家電の配置も決められており、寸分の乱れもなかった。壁につけられたグリーンのリースが唯一、家主の個性を表しているが、洗練されすぎていて、チリ一つも落とせないような緊張感を与える。

これらは菜々ではなく、拓也が選んだのだろうと麻衣は確信していた。テレビやオーディオの電源コードが銀色の筒のような器具の中に巧みにまとめこまれているのを見た時、あいつはこういう新居を持ちたかったのだなと、麻衣はどこかしみじみした気持ちにもなった。

「菜々さんから聞きましたけど、麻衣さんて、有名なライターさんだって本当ですか」

「ゲスト的な感じで来ていた事務の女の子」に訊かれた。

「そんなことないよ。ぜんぜん無名だし」

と、どこか上の空で答えながら、麻衣は、前を歩いている愛美や坂東たちと合流したいと思った。新居の率直な感想を訊いてみたい。思いやりにあふれた愛美は、決してネガティブなことを言わないだろうけれど。

「……や……に密着したことあるって。すごいですね」

しかし「ゲスト的な感じで来ていた事務の女の子」は麻衣の隣から離れず、クイズ番組でたまに見かける女性タレントと新進の女優の名前を挙げて褒めた。

「けっこう前のことだから」

と、謙遜しつつも、思い出す。

……や……の密着というのはあの仕事だろう。会社を辞めたばかりの頃、専属で契約したWEB媒体で、デビューしたてのモデルやタレントの買い物に密着する特集の担当になった。

二十人ほど取材した気がするが、今となっては彼女が名前を挙げたふたりしか世に知られてはいない。二十人中ふたりという確率が高いのか低いのか分からないが、そのふたりが出世したおかげで、「……や……に取材したことがある」と言ってもらえるのは素直にありがたいと思った。

「今は香水作るお仕事をされているんですね。麻衣さんて、本当に多才なんですね」

「ふつうに話していいよ。同い歳なんだし」

と、麻衣は言った。この子はたしか菜々が働く管理部の隣の部署の人で、「同い歳なんだよ」と菜々が言っていた。

同い歳ということは、三十歳ということだろうけれど、改めて見るとずいぶん幼い感じの子だなと麻衣は思った。水色のカーディガンに、水玉模様のプリーツスカートという、品のいい大学生みたいな恰好だ。色白で小柄な雰囲気によく合っている。自分のことを分かっている子だと思った。

「あ、はい。じゃあ、香水の仕事……、してるの？」

おずおず訊き方を変えた彼女に、笑ってしまう。菜々が誘ったくらいだし、案外いい子かもしれない。

「仕事っていうか、趣味と仕事のあいだみたいな感じなんだけどね」

「でも、資格持ってるって、三芳さんが言ってました。あ、言ってたよ」

「アロマデザインのね。資格、そうそう」

「すごいです」

「いや、すごくはないんだけどね。もともとはわたしも、ぜんぜん詳しくなかったんだけど、知れば知るほど奥深くって、歴史もあるし」

「そうなんですか」

「ネットで調べてみると、いろんな資格や仕事が出てくるし、意外に教室やサロンもあちこちにたくさんあるよ」

と、言っているうちに、前を歩く三人に追いついた。愛美が気づいて、麻衣に香水の礼を言う。麻衣は少しほっとする。どの空間にいても、愛美に認知されると、なんだかほっとするのだ。愛美が、そこにいる全員に、上手に気を遣える人だと知っているから。小太りの丸顔には化粧っけもなく、髪型も、新人の頃からまったく変わらないショートカット、黒々としていて年齢の変化を感じさせない。彼女は独身の頃から、皆のお母さんぽいムードを醸しだしていた。

早速愛美は、ここで一番アウェイの「ゲスト的な感じで来ていた事務の女の子」に、

「彩子さん、今日はお話しできてよかった」

と、あたたかく声をかける。おかげでこの子の名前が彩子だということを、麻衣はようやく思い出せた。

「こちらこそです。皆さん同期なのに、わたしだけ場違いじゃなかったかと」

「ええー、全然。むしろ、社内に知り合いができてよかった。ね？」

ね？　と言われ、坂東も西も大きく頷く。

繁華街に入り、周りが明るくなってきた。

「せっかくだから、もう一軒いかない？」

坂東が皆に言った。

「そうだねえ……」

麻衣はさりげなくメンツをうかがう。西は群れないタイプだし、愛美は家に子どもがいるし、

初対面の彩子は気まずそうだし、坂東とふたりで何話すんだろ。まあ、もうちょっと飲みたい気分ではあるけれど……そう思っていたら、

「一時間くらいなら」

と、愛美が言った。

「え、ほんと」

じゃあ行く、と、麻衣は決めた。彩子と西はやはりもう帰ると言い、結局坂東、愛美と麻衣の三人が残った。住宅街だが、駅前のショットバーがあったと、坂東が下調べしていた。

「彩子ちゃん、いい子だよね。西とどうかな？」

帰宅組の姿が見えなくなるなり、坂東が言った。

「すぐそういうこと言う」

愛美が呆れ顔になる。

坂東は、新入社員の頃から、なんでも恋愛に結び付けようとする、ちょっと軽薄なタイプだった。真面目な西の恋愛事情を坂東と麻衣と三芳がイジり、ほどよいところで愛美が話を変えるというかつての会話パターンを思い出す。

それにしても同期の既婚率高いな。ふいに麻衣は思った。

どうして今まで気づかなかったのだろう。同期イツメン六人のうち、愛美には子どもがおり、菜々は妊娠中。男子も、坂東は既婚で子持ち、三芳ももうすぐ父になる。西と自分だけが独身か。三十歳にもなれば、こんなものか。

そんなことを想いながら、坂東が見つけたショットバーを目指す。

地下にあるその店へ階段を降りて行き、扉を開けた瞬間、麻衣はつい「げっ」とちいさく漏らした。

煙草の煙が充満していたからだ。

即座に店を変えようと言うべきだったが、つい機を逸してしまったのは、自分が言わなくても愛美が言うと思ったからである。

しかし、

「こういう店、久しぶり～。なんかわくわくする」

と、愛美は明るく言ったのだ。麻衣は驚いて愛美を見た。彼女は本当にわくわくしているような顔である。

ひとまず席を探し、交代で飲み物を取ってきてから乾杯した。

店内にいる客の多くは大学生くらいの顔つきだ。隣の席の男女まじった五人組は土曜日なのにスーツ姿で、その顔つきはつるりと若い。まるで、新人研修を受けていた頃のわたしたちみたいだなと麻衣が思った時、

「こういうノリ、懐かしいよな」

と坂東が、麻衣の思っていたとおりのことを言った。

「新人の頃を思い出すね」

と、愛美も言った。

その時麻衣は、急に、説明のつかない切なさのようなものを感じた。

それは不思議な感覚だった。坂東も愛美も、麻衣が感じていたこととそっくり同じことを感じ、

口にしただけだ。それなのに、同じ感覚を共有していると分かったとたん、麻衣は、自分たちが、遠いところまで来てしまった気がした。どこがどうとはっきり言葉にして言えるわけではないが、たとえばこんなにも、三人そろって懐かしんでいるところ。

——新人の頃を思い出すね。

そう、わたしたちは思い出していて、隣のグループの子たちは、真っただ中にいる。

それだけの時間が経っているのだから当然のことなのに、麻衣はなんだか不当な目に遭っているような気がした。もう自分らは、一生こういう感覚を味わえないんだなと、唐突に突きつけられた気がした。

ちょっと前まで、坂東も愛美もわたしも、会社に所属すること自体に慣れなくて、「同期」という存在が新鮮で、研修がつらくて、朝から晩までうっすら緊張していて、愚痴をこぼしあって、それでも、どこか社会人コスプレをしているような、気恥ずかしさと新しさを、きらきらと味わっていて、それは、今思えば眩(まぶ)しいばかりの若さであった。

確実に、わたしたちの中に、「それだけの時間」は経ったのだと思った。

二杯目に入る前に、

「いい?」

と、坂東が煙草を取り出した。彼は昔から喫煙者だった。麻衣は愛美をうかがった。すると、

「一本くれる?」と愛美が言ったのだ。

「吸うんだ?」

麻衣は驚いた。

「家では吸わないよ」

言い訳するように、愛美は言う。家で吸わないということは、会社の、年々隅に追いやられている狭い喫煙室で吸っているというのか。

「意外」

麻衣が言うと、

「麻衣はもう吸わないの？」

と、愛美が言った。

「わたしはやめたよ」

麻衣は言った。「悪いな」と言って、坂東が外に向けて煙を吐く。愛美も麻衣に煙を向けないようにして吸ってくれた。

ふたりがそうやって気を遣ってくれても、店全体が煙草にゆるい感じなので、あまり意味はなかった。麻衣は、せっかくつけてきたオリジナルの香水が、このにおいに上塗りされてしまうことが嫌だった。肺が汚れる感じもして、こんな場所に長くはいられないなと思い、そう思うことで、自分が老いたように感じた。

愛美が吸うこともショックだった。

新人の頃は麻衣こそがヘビースモーカーだった。新人の頃、同期女子の中で喫煙者は麻衣だけだった。愛美が吸うところなんて、見たこともなかった。

そういえば皆で菜々の家に泊まったことがあるが、あの時は大変だった。皆が吸わない上、ベランダでも外廊下でも吸っちゃいけないというアパートだったので、麻衣ひとりで夜中にわざわざ近所のコンビニまでひとりで行って、店先の喫煙スペースで吸ったのだ。

どうしてあの頃あんなに煙草を吸いたかったのだろう。ほんの七、八年前のことなのに、記憶はおぼろげだ。

煙草をぴたりとやめたのは、会社を辞めてストレスがなくなったのもあるが、やはり香りを大事にする仕事に出合えたおかげだと思う。

麻衣は、アロマデザイナーという今の肩書を気に入っている。

今日も皆に手作りの香水をプレゼントし、よろこばれた。今日贈ったのは花の香水だが、最初は柑橘系の爽やかな香りがひろがり、やがて花のようなふくらみのあるすみれの甘さへと変化する、ストーリーのある香りなのだ。

その場ですぐにつけてくれた菜々の笑顔が嬉しかった。身につける香りを大切にすることで、心が豊かになり、生活にいろどりが生まれる。皆にそのことを熱弁した。

愛美の反応は、しかし思ったほどのものではなかった。プレゼント自体は喜んでくれたし、いいにおいだと褒めてもくれたが、香りが変化してゆく過程や、使っている精油の話などは、ふん、ふん、と軽く聞き流された感じがする。新しい肩書についても、さほどの興味を持たれなかった。

この反応には慣れている。麻衣は今、自分のSNS以外に、女性向けのまとめサイトの記事執筆や、数人の美容家の動画配信のモデレーターなど、雑多な仕事を引き受けているが、そこで出会う担当者や美容家たちも、麻衣の所持資格や肩書を聞き流す。お金と時間を差し出せば誰でも取れるものだと思われているのが分かる。

だが、そういう人たちの目など、どうでもいい。そんなことより大切なのは、香りの勉強をすることで、麻衣自身の生き方が大きく変わったことだ。

たまたま知ったアロマ関連のお試し講座を面白半分に受けた時、麻衣は、自分がこれまで香りに無頓着に生きていたことに気づかされた。五感の中で、嗅覚が特別なものだということを、初めて知ったのだ。

皆で練り香水を作りましょうというテーマの講座だったが、前半は座学だった。

ホワイトボードに脳の断面図のポスターが貼られ、講師のMizuna先生が、理性や思考を作り出す「大脳新皮質」と、本能をつかさどる「大脳辺縁系」があるが、見たり、聞いたり、触ったり、味わったりした感覚は大脳新皮質へ伝わるのに対し、嗅覚だけが大脳辺縁系へダイレクトに伝わると説明した。

大脳辺縁系には記憶をつかさどる「海馬」という器官があり、つまり嗅覚だけが、直接記憶につながるというのだ。

――マルセル・プルーストの『失われた時を求めて』という小説を知っていますか。

Mizuna先生が皆に訊いたのを覚えている。生徒は誰も手をあげなかった。麻衣も知らない本だった。

――紅茶にひたしたマドレーヌの香りから突如子どもの頃の記憶がよみがえるという有名なシーンがあるのです。実際、皆さんにもそういうこと、ないかしら。ふっと嗅いだ花のにおいや食べ物のにおいなんかが、昔の記憶をよみがえらせること……

Mizuna先生はいつも暗い単色のワンピースを着て現れ、ひと言ひと言を大切そうに優しく話した。アロマデザイン教室の講師をするとともに、普段は老人ホームでボランティアをしているということだ。質問に対して、実家特有の畳のにおいを例に挙げた生徒がいて、そうね、久しぶりに実家に帰った時、嗅いだにおいからよみがえる子ども時代の記憶があるのよね、とMizuna先生はやわらかく言った。麻衣は何か懐かしい香りを挙げようと思ったが、思いつかなかった。

――嗅覚は「本能の感覚」と言われているのです。大脳新皮質を経ずに、この部分、大脳辺縁系に直接届くのです。

Mizuna先生は、ホワイトボードの、大脳の絵を指しながら説明した。

――ですから、アルツハイマーの方の治療にも香りを使った方法が試されているのです。この香りで朝食、この香りで入浴、この香りで睡眠と、香りと行動を結びつける工夫をされる施設もあります。

へえ……と麻衣は素直に感心した。

――そして、嗅いだ香りは、記憶に直結します。理屈もなく理性も飛び越えて、郷愁や欲望や、時に強烈な追体験をもたらすの。ですからね、さっき言ったように、子ども時代の香りを思い出して、ふいに泣き出すおじいさんやおばあさんもいるのですよ……

五回きっかりのコースだった。一緒に受けていた人たちは、カルチャースクールの延長みたいな気分で申し込んでいたらしく、座学の時間はつまらなそうにしていたが、麻衣は出だしのその話から胸を打たれ、熱心にメモを取った。初回の授業の帰り道で書店に立ち寄り、話に出たプルーストの『失われた時を求めて』を買ってみたほどだ。

Mizuna先生の語っていたマドレーヌのシーンは冒頭に出てきた。正確には、においではなく味覚から派生した記憶という書かれ方だったが、食べる直前に嗅いだ香りもあったはずだと麻衣は解釈した。

実際のところ、本については数ページで挫折したのだったが、プチット・マドレーヌが主人公に呼び覚ますシーンだけは、何度も読み返した。浮かび上がる記憶はあまりにも濃く、彼に大きな衝撃すら与えるほどに豊かなものだった。Mizuna先生の滑らかな話し方と、文中にあった「菩提樹のお茶に浸したマドレーヌ」という素敵な表現が、麻衣の心をときめかせた。そして、記憶と密接に結びつくというこの嗅覚を、もっと研ぎ澄まして、大切にしたい。そう思ったら、自然と煙草は吸わなくなった。

資格を取った後も、Mizuna先生のもとに通って、麻衣は自分の香水を作り続けている。今日皆にプレゼントした花の香水は、Mizuna先生に褒めてもらえたものだ。トップに柑橘の香りが来て、時間が経つとすみれが香るように、配分を整えた。香料の種類をどのように配分するかで、時間による香りかたが変わってくるのが、調香の面白いところなのだ。そのことを麻衣は愛美に説明したし、できればこの夜にも味わってもらいたかった。

「あー、美味しー!」

煙草を吸い終えた愛美が、生ビールをごくごくと飲んでそう言ったので、麻衣はつい笑ってしまった。

どのみち、二年後に東京オリンピックが開かれれば、煙草を吸える場所は減るだろうし、健康のことを考えても煙草なんて止めるべきだと思うが、それは今ここで話すべきことではないと思い直す。

「CMみたいに飲むなあ」

と、坂東が笑う。

「いや、最高。ていうか、もう、外の店で飲めるだけで最高」

感慨深げに愛美が言った。

「ストレスたまってるんだねー」

麻衣が言うと、

「まあね、こんな時間に外で飲むの何億年ぶりだろって感じ。仕事でも、今は、出張とか接待的なものはだいたい他の人にお願いしてるし」

ほろ酔いの愛美が、いくらか陽気な口ぶりで答える。

「ほんとよくやってるよ、江原は」

坂東が言った。麻衣も本当にそうだと思った。外で会社員、家で母親業と、ふたつの仕事を抱えているのだ。

さきほど菜々の家で飲んでいた時、愛美が少しだけ自分の話をしてくれた。

飲食店に勤めるダンナさんは、出勤が遅い分、帰宅も遅い。共働き対策で実家のそばに家を買ったというのに、愛美のお母さんは少し前に体を壊し、とても孫の面倒を見られる感じではないという。お父さんはまだ現役で働いていて、いざという時に子どもを預ける場所はない。

「一人何役もこなしているよ」と笑いながら言う同期の姿に、いまだ母親に洗濯をしてもらい、ベッドを整えてもらい、三食作ってもらっている実家暮らしの麻衣は、恥ずかしくなった。

「出世頭だからな、江原は。二十代で課長だもんなあ」

と、坂東が言った。

「愛美のことだから、同期初の女性部長になっちゃうんじゃないの」

麻衣が言う。

「部長じゃ済まないよ。最年少部長、最年少役員を経て初の女性社長になるんじゃないか」

坂東が言うと、麻衣が「なるなる」と同意する。

愛美はちいさく首を振った。

愛美は同期で最初に課長に昇進した。自社の冷凍食品の簡単アレンジを紹介する動画『コトコト』の配信をヒットさせ、社長賞を取ったのだ。

食品業界は比較的古い体質で、女性社員も少なかったのだが、母親視点での新サービスが販路を拡大したというサクセスストーリーはマスコミにも喜ばれた。一時期、女性誌やBSのテレビ番組などにも呼ばれていたほどで、その姿は麻衣の誇りだ。

「そういえば、『日経ウーマン』の手帳特集見たよ。二十代の社内最年少課長って書いてあったね。まじですごいし、手帳の活用法、めっちゃ参考になった」

意気込んで言うと、愛美はちいさく首を振る。その謙虚な姿を見ていると、麻衣はもっともっと、愛美を褒めたくなる。

自分の中に、こんな気持ちが湧いてくるのが不思議なくらいだ。

これまで麻衣は、同年代の女性が注目されているのを見ても、素直に賞賛できないところがあった。輪の中でモテている子、先輩に一目置かれている子、先生から頼られている子……。そういう子を見ると、常に欠点を探したくなる。もう子どもではないから、そんな自意識の乱れにちゃんと気づいていて、せめて表に出さないようにコントロールしているのだ。

だが、愛美に対してだけは、そういう気持ちにならない。感服というのか、完敗というのか。まっさらな気持ちで、尊敬できる。

実をいえば、今日の集まりも、愛美がいるから来たようなものだった。

誰にも絶対に言わないが、ラインで菜々と拓也の新居訪問の話が出たとき、麻衣は、さっき煙草のにおいを嗅いだ時と全く同じ顔をして、「げっ」とつぶやいたのである。

菜々からの声がけだったが、なんといっても拓也の家である。二十代前半に、一年間くらい、付き合っていた。工場研修で同じ班になり、最終日に打ち上げをしたあと、ぐでんぐでんに酔っぱらって訳が分からなくなり、気づいたら拓也の部屋で目が覚めたのが始まりだった。

事故みたいな感じで始まった恋愛だったが、その後もずるずる続けたのは、単にタイミングの問題だと思う。

麻衣は大学二年から付き合っていた男と別れたばかりだった。そして、仲間内で回していた「割のいいバイト」の声がかからなくなった。拓也が全面的に押し出してくる気持ちが好もしくもあった。加えて、拓也の部屋はすっきり片付いていて居心地が良かった。美味しい珈琲を淹れてくれた。そのあたりの理由もろもろが絡まり合って、続ける理由もないが、別れる理由もないまま、現状維持が続いたのだった。

ちなみに「割のいいバイト」というのは、雑誌の読者モデルをしている友人から声をかけられたもので、社会人の男性が開く飲み会に参加するだけのことだ。最初は怪しさを感じたが、なんのことはない、単なる飲み会だった。実家暮らしの麻衣は経済的な不自由をしていなかったが、美味しいものを食べて、おしゃべりするだけでこんなにお金をもらえるのかと浮かれた。

今思い返しても、あのバイトは何だったんだろうと不思議だ。一見ホステスのようだが接客の義務はなく、口説かれたことは無きにしもあらずだが、触られたりしたことは一度もなかった。色んな学校の女子大生がたくさんいて、顔見知りもできた。女の子と話しているだけで終わったこともある。それで、最後にお札の入った封筒をもらえたのだ。

――今思い返しても、あのバイトは何だったんだろうと不思議だ……

いや、麻衣は当時からよく分かっていた。あのバイト代は「容姿のよい女子大生」という商品に対して支払われたものだった。呼ばれるたび、指定された場所に行き、自分の価値など何も分かっていないような無邪気な顔をして、朗らかにお酒を飲んだ。「麻衣ちゃん来てくれると助かる」。読モの子にそう言われて、プライドがくすぐられた。

しかし、就職したとたんにぴたりと声がかからなくなった。予想されていたことだったが、その事実は、麻衣に、ひとつの時代が終わったことを突きつけた。あんなバイトに呼ばれさえしなければ、気づくことのなかった事実を。

社会人になると、いきなり工場研修に送り込まれ、麻衣はすっかり嫌になった。

もともと出版社や広告会社などのメディア系を目指して就職活動をしていたのだが、希望のところにはすべて落ちたのである。

最終的に、それなりに名の通った食品会社には引っかかったので、連戦連敗を心配していた両親はいたく喜んでくれたし、最初は麻衣も嬉しかった。だが、工場で、作業着、作業具、衛生帽子にマスクと支給されたものを一式身につけ、誰が誰だか分からない状態で立ち仕事を延々こなすうち、こんなはずじゃなかったという思いに囚われた。工場勤務は研修期間だけと分かっていても、耐えられなかった。食品会社は良くも悪くも生活に密着している業種である。麻衣には、もっと現実離れした、きらきらした世界への憧れがあった。

その点で、拓也と話があったのだ。

彼もまた、メディア・広告系を志望していた。これは、大企業に就職できたことに満足している他の同期たちとは決して共有しえない感情だった。

麻衣としては、せめて広報や宣伝に携わりたいと思ったが、その二分野は経験を積んだ熟練の社員で固められているらしく、新卒の子が配属されることはまずないことが後から分かり、心底がっかりしたものである。

研修後、拓也は輸入品の部門に、麻衣は秘書課に配属された。麻衣は拓也と仕事の愚痴を言った。一緒に求職サイトを見たり、第二新卒で入社面接を受けようかと話し合ったりした。

やがて会わなくなったのは、麻衣が有言実行で会社を辞めたからだ。辞める辞めると言いながら、しかし結局、拓也は辞めなかった。その姿は麻衣の目に、弱々しく、狡(ずる)いものに見えた。

麻衣はIT企業のベンチャー部門が立ち上げたWEBサイトの運営部門に正社員として転職した。「プロデューサー」という肩書の名刺をもらい、同期の皆に配って、プロデューサー、プロデューサーとからかわれたものだ。

とはいえ実態は、結局のところ人手が足りないので、企画立案からカメラマン、取材、ライティングまでひとりでやるような状態だった。最初のうちは何もかもが目新しくて、楽しんでいたのだが、すぐに麻衣は疲労困憊(こんぱい)した。こんなはずじゃなかったと思った。

ちょうど、百貨店が美容や健康を取り扱うWEBサイトを立ち上げたので、その募集に飛びつき、契約職員として働き始めた。彩子に指摘されたタレントの取材も、その時の仕事だ。

しばらくすると麻衣はその仕事にも飽きてしまい、今度は派遣登録をして、総合商社の経理事務や、国際コンベンションでの受付の仕事や、タワマン販売の営業アシスタントなど、見映えと時給が良さそうなものを、ちょいちょいと啄むようにして選んできた。

どの仕事も楽しいが、麻衣はすぐに飽きてしまう。何をやっても飽きてしまうのだ。

麻衣が何事にも飽きやすい理由のひとつに、生活に困らないというのもあった。

幼い頃から喘息気味だった麻衣は、両親に大事に育てられた。成長してすっかり健康になっても、両親は麻衣を心配してばかりだ。三十歳になった今も、健康的な食事を毎日並べてくれている。それだけではない。洗濯、クリーニング、部屋の掃除までしてくれるのだ。世界一甘やかされている三十歳じゃないかと麻衣はたまに自嘲するも、快適なこの生活を手放したいとは思わない。

それでいて、心の中にいつも、渇きがあった。

何かひとつ自分の生き方の軸になるものがほしい。逆に言えば、そういうものがないのが、ずっとコンプレックスになっている。

「江原、手帳の活用法なんて取材を受けてるの。手ぇ、広げてるなあ」

坂東が言うのが聞こえた。同期なのに知らなかったのかと思う。知らないふりをしているのかもしれない。

「雑誌のね、数合わせみたいな取材だから……」

と、愛美がちいさく首をふる。その謙虚な姿を、麻衣はもったいなく思った。

「他にも色んな会社の子たちが出てたけど、愛美のコーナーは結構大きかったよね」

麻衣は明るい声で言った。

「まじか」

坂東が歎息をもらす。

すると、

「もう、『子』って歳じゃないけどね」

と、愛美が静かに言った。

「社長になったら運転手にしてくれよ」

坂東が言い、

「無理無理。もっと腕のいい運転手を雇うよね」

麻衣は言った。

「俺、まじで運転の腕は確かだから」

「いやむしろ鞄持ちじゃないの？」

「それは任せてくれ」

坂東とふざけあっていた麻衣は、愛美がさっきから黙っていることに気づいた。

「愛美？」

声をかけると、愛美は静かな目で麻衣を見た。何かを訴えるような表情にも、あるいは何かを諦めたような表情にも見えた。

次の瞬間、

「もう帰るね」

愛美がすとんとスツールから降りた。

「え？」

麻衣は戸惑う。

「ベビーシッターさんの時間があるから。ごめん」

と言い、愛美はあっという間に店から出て行ってしまった。

麻衣は愛美が出て行った出口を見ながら、追いかけて、自分も帰るべきかと一瞬迷った。

隣で坂東が、

「ストレスたまってるんじゃないの。あいつの部署、あんまりうまくいってないみたいだから」

と、さっきよりいくらか声を低くして言った。

「え、うまくいってないの」

麻衣が訊くと、

「『コトコト』のアプリが、実は採算取れていないらしい」

「え、何それ。すごいじゃん。愛美、アプリも立ち上げたりしてるんだ」

「まあ、そうなんだけど、実はあれ、だめなんだって」

坂東の口ぶりには若干のはしゃぎがあり、麻衣は少し警戒する。

「だめ？」

「上層部に好かれているから簡単に潰せないけど、たいした成果もない、遊びみたいなプロジェクト。あんなの自由にやれてるのは、江原がオヤジを転がしてるからだって言う人もいて」

「え、まって。坂東さあ、愛美に嫉妬してる？」

麻衣が言うと、

「は？」

と坂東が口をあける。

「まさかまさか、愛美が出世した理由、女だからだとか、贔屓されてるからとか、思ってないよね」

麻衣はさらに言った。

「そんなこと思うわけないじゃん。逆にそれ、俺に対する偏見ひどくね？」

「愛美がうちらの中で一番先に出世すること、わたしは分かってたよ」

麻衣はきっぱりと言った。

にやにやした顔つきのまま、しかし坂東は言葉を発さなかった。

「工場研修の最後、愛美がシフトリーダーから『レーンを任せたいくらいだ』って言われたの覚えてる？　うちらはいつもどっか、工場研修は期間限定のもので、いずれは本社に戻るって頭があったけど、愛美はまじであの工場の仕事の流れを改良しようとしてさ、最後はチームの入れ替えの提案までしてた。ああいう、なんていうんだろ、本気度っていうか誠実さ？　そういうの愛美の力だって、本当は坂東も分かってるでしょ。研修の打ち上げの時、みんなでそう言ってたじゃん。なのに、どうして今になって『オヤジを転がしてる』とか言ってんの」

喋りながら、なんだか泣きたくなってくる。

ああ、わたしは誰よりも愛美に認めてもらいたかったんだな。

今になって、そんな気持ちが湧いてきて、やっぱり走って追いかけるべきだったと悔やんだ。

「いや、それ、俺が言ったんじゃないよ」

「でも、そうやって伝聞で、広めてるじゃん。一番ヤバいやつだよ。もしかして、西や三芳にも同じこと言った？　でも坂東だって、本当は分かってるんでしょ。愛美が上の人たちに好かれてるとしたら、転がしてるからじゃなくて、真面目に仕事してるからだってこと」

麻衣は言った。

反論されるかと思ったが、目の前の同期は、もうにやにや笑いをしていなくて、少し口を尖らし、すねた子どものような顔をしていた。

「分かってる」

「分かってるなら……」

「でもさ、部長とかに『おまえの同期、課長だな』『女に抜かれたな』っていちいち絡まれたりするんだよ。それがまじでうざい」

「それはうざいね。たしかにうざい」

坂東がうんざりしたように言い、ああー、と麻衣は思った。

「だろ？」

「ていうか、まだ『女に抜かれた』とか言うやついるんだね」

「いるいる。山ほどいる」

「日本てまだそんな感じなんだね」

「古い会社だしな」

「でもそれ、愛美には関係ないことじゃん？」

「まあ、あいつには関係ない。あいつはまじでできるやつだから」

「じゃあ、同期として、愛美を守ってあげなくちゃ」

麻衣が言うと、坂東は何も言わず、首だけスンスンと動かして、同意する。

そんな同期の姿を、麻衣はいじらしく、そして少し痛ましく見つめる。

会社を早く辞めたせいで、自分だけ、組織の中のどろどろした嫉妬や偏見みたいなものを、知らずにタイムスリップした気分だ。現役であの会社にいる同期たちと違って、自分の心の中には、新人だった頃の自分たちの様子がそのまま保存されている。だからか、『オヤジを転がしてる』なんて言い広める前の坂東を覚えていた。

坂東は、最初の自己紹介で「ばりばりの体育会就職です」と言った。自虐にも自慢にも聞こえるその台詞を、皆拍手して歓迎した。坂東は誰よりもよく飲み、笑い、場を盛り上げた。社会人になってもトライアスロンサークルに入って体を鍛えているという坂東の、心の根っこにある明るさと逞しさは失われていないはずだと麻衣は思った。会社や仕事に対する畏れや、社会に出ることへの純な憧れを隠しきれないでいた二十二歳の彼は、目の前の坂東の中にいる。

だけど、少しずつ変わってはいくよなと、思った。変わらずにいることなんて、できないよな。

そういえば、愛美はさっき、『「子」って歳じゃない』と言っていた。聞き流してしまったが、あれは愛美の、現状への実感なんだろう。

そりゃあ、もうわたしたち、『子』って歳じゃないけどさ。

麻衣は口を尖らし、なんとなく店内を見回した。ここにいる人たちは、お酒は飲める年齢だけれど、まだ『子』と言っていい年齢のように思える。

工場研修をしていた頃の自分たちもまた、『子』だったなと思い出す。

『子』じゃなくなるのは、いつからなんだろう。

麻衣は、ほんの一瞬、今の自分について考える。ネット注文した洒落た名刺を持ち歩いているものの、実年収は扶養範囲内の主婦並で、親元でないと暮らせない。だけど、デパートでSALE品ではない服を買い、ホットヨガスタジオに通い、月に一回ヘアサロンに行く。そんな贅沢ができるのは、母親が気まぐれで小遣いをくれるからだ。

――もう、『子』って歳じゃないけどね。

愛美は、ひとりごとではなく、わたしに言ったのではなかったか。

そう思った時、後ろの席で、笑い声が弾けた。何がそんなに面白いのか、社会人になったばかりのスーツ集団が、手を打って、笑い転げていた。

「そろそろ行くか」

坂東が言った。

「行こう」

麻衣は立ち上がった。

この店に来ることはもうないだろうと思った。

江原愛美

久しぶりに同期たちと集まったその日、愛美はなんだかひどく疲れていた。

ベビーシッターと契約した予定の帰宅時刻より一時間以上早く帰ることになるのをもったいないと思ったが、実際のところ、一秒でも早く家のソファに突っ伏したかった。

列車は高架の上を走り、やがて大きな川を渡っていく。休日の夜だから、普段よりはすいているけれど、座れるほどではない。片手でつり革を握りながら、愛美は揺れに身を任せた。

窓の向こうで、川沿いに建つタワーマンションの、幾十もの窓のあかりが、川面を明るく染めているのが見えた。

あのマンションの窓からは、夜の街がどんなふうに見下ろせるのだろう。たとえば一番上のあの部屋からは……？

愚にもつかないことをぼんやり考えていたら、我知らずため息が漏れた。すると、前に座っているサラリーマン風の男性が目だけ上げて、こちらを確認するように見た。

無意識に、ため息の音をまわりに聞かせていたらしい。愛美はそれを恥ずかしく思った。

口元を引き締め、小さく首を振って、スマホを取り出す。今日招いてくれた三芳拓也と菜々にお礼のメッセージを書き送った。顔を上げると、すでに列車は川を渡り終えていた。

毎晩使っている列車、毎晩つり革につかまりながら見ている眺め。川を渡り終えると、一気に住宅地の質感が変わる。建物が平べったくなり、黒い夜空が広がる。街から町へ。生まれ育った町で子どもを育てている愛美にとって、この景色は懐かしくもあり退屈でもあり、温かみと諦念を同時に感じさせるものだった。

最寄り駅から、さらに十五分歩いたところに愛美の家はある。実家の近所に売り出された建売住宅を買ったのだ。

小雨が降ってきたのを理由にタクシーを使おうかと一瞬思ったが、ベビーシッターに払う費用を思い、やめた。

家の戸を開けると、突き当たりの居間のドアの向こうから、アニメの音声が聞こえてきた。

「ただいま……」

つぶやくように言いながら靴を脱いだ愛美は、居間のドアを開けて眉をひそめた。

今日急きょ頼んだシッターが、ダイニングテーブルで頬杖をついてスマホをいじっていた。

彼女ははっとしたように顔を上げると、急いでスマホをしまい、

「早かったんですね」

と、取り繕(つくろ)うように言う。

子どもふたりは、テレビの真ん前に座っていた。

「ちょっと！　目が悪くなるよ。もっと離れて！」

愛美は、画面の近くで食い入るように見ている五歳の優斗(ゆうと)と四歳の春斗(はると)に言った。

夕方から出かけていた母親が帰ってきたというのに、アニメに夢中の息子たちは振り返ることもなく、目玉の向かう先を画面に据えたまま、もぞもぞと尻を動かして後ろへ下がった。

「もっと下がりなさい！　いつも言っているでしょう！　画面近くで見ると目が悪くなるって！」

つい声が荒くなった。

「うるさいなあ！」

優斗がにらみつけてきた。春斗は横であくびをしている。いつもならもう寝ていてもおかしくない時間だ。

「あと少ししたら、お風呂に入れようと思ってたんです」

言い訳がましく、シッターが言った。

「あとはもういいですから、帰ってくださって大丈夫です」

冷たい声で、愛美は言った。

「でも、時間まだありますから、お風呂、入れますよ」

シッターが言ったが、もうこれ以上、彼女に家にいてほしくなかった。

「大丈夫です」

どのくらいの時間、子どもたちにテレビを見させていたのだろう。どのみち、契約時間に応じた費用は払われるが、早くこの無責任なシッターに帰ってもらいたい。

「お風呂、沸かしてあります。もうちょっとしたら、子どもたちに入るように言おうと思ってたんですけどね。ママが帰ってくるまで待っていたいって子どもたちが言ったもんですから」

悪いクチコミを書かれたくないのだろうか。こびるような声で彼女は言った。

「分かりました。ありがとうございました」

愛美は言い、玄関まで送って、追い出すように出て行ってもらった。

鍵をかけると、すぐに居間に戻り、テレビを消した。

「えー」

「あとちょっとだったのに！」

「あと！　ちょっと！　だった！」

「ママのっいじわるっ」

「いじわる！」

子どもたちが口々に抗議してくる。優斗がいう言葉を、春斗がすべてまねするのだ。

はっと思いついたことがあり、愛美はもう一度テレビをつけた。見ていたのは、インターネット配信のアニメだったが、第何話を見せられていたのかが気になった。

見直すと、第五話だった。第三話までは子どもたちが見ていたのを把握している。ということは、四話を見て、五話の途中だったのか。一話が三十分足らずのシリーズなので、それほど長時間、テレビを見せられ続けていたわけではないことが分かり、少しだけほっとした。しかし、期せずして抜き打ちチェックをしてしまったことで、心はくさくさしていた。

そもそも今日の集まりは前から決まっていたので、夫の圭壱（けいいち）が家で子どもたちと過ごすことになっていたのだ。それが、彼に急な仕事が入ってしまった。飲食チェーンに勤める圭壱は、店を一つ任されている。今日は休める予定だったが、バイトに欠員が出て、急きょ責任者である自分が出なければならなくなった。そういうことはこれまでに何度もあったので、またいつものことかと思ったが、すぐにベビーシッター探しをしなければならなかった。

登録しているシッター派遣サービスのアプリで調べると、以前頼んだことのある人たちは、この時間を空けていないか、先約が入っているかして、予約できなかった。急な土曜の夜に真夜中まで見てくれる人の数は少なく、なんとか探し出したのが先ほどの女性だ。年齢は二十五歳、保育士や看護師の免許を保持していないため時間給が安く、しかし「子どもが大好き」とのことで、クチコミも悪くはなかったのだが……。

子どもにアニメを見せ続けて、自分はスマホタイムか。思い出したら、またむかむかしてきた。これまで頼んだ人たちは、皆しっかりと子どもたちを見てくれていた。信頼してリピートした人もいる。しかし今回はハズレだ。

契約上、シッターに他の家事は頼めないことになっている。子どもたちの夕食の準備をすべて愛美がし、温めれば済むようにしておいた。風呂の湯を張ったと恩着せがましく言っていたが、なんのことはない、スイッチだけ入れれば良いように湯船を洗って色々とセッティングしたのも愛美なのである。

「もうちょっとテレビから離れなさい」

愛美は言った。

ふたりは画面を見たまま、さっきと同じようにお尻だけ動かしてじりじりと下がってゆく。よほど面白いのだろう。あと十分足らずでアニメのその五話が終わるので、仕方なく、そのまま見せ続けることにした。

見終わると、子どもたちは第六話をせがむことはさすがにせず、ようやく愛美の顔を見て、「ママー」と甘えてきた。春斗は眠そうな目をしていた。普段の就寝時間を一時間以上過ぎている。もう、風呂に入れるのは面倒くさすぎる。このままこの子たちを眠らせてしまってもよいかもしれない。というか、もうそうしてしまおう。

「お着替えだけして、寝よっか」

優しい声で言うと、優斗が、

「パジャマ持ってくる」

と素直に寝室に向かった。春斗も後を追ってゆく。

その後ろ姿を見ていたら、急に愛美は切なくなった。

子どもたちを置いて飲みに行ったことが急にひどく悔やまれた。本当はあの子たちは何も悪くなどないのだ。あの子たちはただけなげに母親を待っていた。好きなアニメを見せられれば、当然、近くで凝視したくなるものだろう。

愛美はさっき帰った若いシッターの女性に、改めて強い怒りを持った。

さっきあの子たちにきつい言い方をしてしまったのは、シッターに直接言えない怒りを、ぶつけやすいところにぶつけてしまったからだと分かっていた。

パジャマを持って下りてきた子どもたちに、急に罪悪感をおぼえ、

「歯磨きしようか」

努めて優しい声で愛美は言った。

ふたりはアンパンマンの絵の付いた小さな歯ブラシで素直に歯を磨く。

「ねんねしようね」

愛美は穏やかに言い、子どもたちを交代でトイレに行かせた。

ひとまず子どもたちを二階の和室に連れていき、用意しておいた布団に寝かした。いつもより

遅くまで起きていたふたりは、やがてすうすうと寝息を立て始めた。

愛美は階段を静かに下りた。

あのベビーシッターが、わたしの留守中に、あんなふうに子どもをテレビ漬けにしてスマホを見ていたことを派遣アプリのクチコミ欄に書かなければいけないと思った。だが、片付けが山積みだった。シッターと子どもたちのいた居間が、いつもより散らかっている。流しには、子どもたちが食べ終えた皿が、山積みのまま置いてあった。

もちろん食器の片付けはシッターの仕事ではない。彼女にこれを洗う義務などない。だが、さきほどの、子どもたちにテレビを観させて自分はスマホをやっていたあの姿を思い出したら、放置された皿がひどくいまいましく見えてくるのだった。

愛美は重たい体に鞭打つような思いで、食べ残しをのせた皿を流しで洗い、ダイニングテーブルを片付けた。テレビの前に散らかっていた玩具も隅に寄せた。よく見ると、カーペットのあちこちに菓子の食べかすがぽろぽろ落ちている。この時間でなければ、すぐに掃除機をかけたかった。

「あああ」

ひとしきり部屋を片付けると、愛美は食器棚の奥から煙草を取り出した。

煙草は、学生の頃に少し吸ったことがある程度で、自分には縁のないものだと思っていたが、喫煙者の圭壱と結婚したことで、たまに吸うようになった。圭壱が禁煙したのを機に自分もいったんやめたのだが、課長に就任してから、また吸うようになった。タール数が少なめの、刺激のうすい煙草を選んで、ほんの少しだけ。勝手口の窓を開け、換気扇をまわし、火をつける。

静かに煙を吐いていると、

「ママ？」

と声がして、すぐそばに優斗がいた。

愛美はびくっとし、慌てて流しに煙草を押しつけるようにして火を消した。子どもに煙草を吸っているところを見られたくなかった。

「何、どうしたの」

愛美が言うと、

「……怒ってる？」

と優斗に訊かれた。

「なんで？　怒ってないよ。起きちゃったの？」

愛美が言うと、

「うん」

と言う。

「トイレにいく？」

愛美が言うと、優斗はこくりと頷き、ついてくる。一緒にトイレにいって、それから子ども部屋に連れてゆく。

春斗はすでにぐうぐう寝ていた。寝つきのよい弟に、置いていかれたような気がしてしまったのかもしれない。兄の優斗のほうが、繊細だった。

優斗のために寝かしつけをやりなおし、その寝息を確認して、子ども部屋を出る。

愛美はようやくソファに座り、スマホを手にとった。契約している、ベビーシッターのオンラインマッチングアプリを立ち上げる。今日のシッターについての評価アンケートを書くためだった。子どもがテレビの真ん前に座っていたこと、注意もせずに離れたところでスマホをやっていたこと、台所がぐちゃぐちゃになっていたこと……

クチコミ欄に思いきり書いてやろうと思った。

しかし、いざスマホの画面を立ち上げると、愛美の気持ちはしゅるしゅるとしぼんでいった。

ここで批判してどうなるというのだろう。いっときの憂さ晴らしにはなるかもしれないが、もう終わってしまったことだ。それに、彼女には家も子どもも覚えられている。変に恨みをかったら……。

それに、よく考えてみれば、今日は彼女がいたから外出できたのだ。

急なマッチングだったので、普段頼んでいた人たちは皆、空いていなかった。彼女を見つけた時、ラッキーと思ったではないか。おまけに、いつもの人たちに比べて、提示する時間給が安かったのだ。質は劣るとはいえ、事故も怪我もなく見ていてもらえたことを、自分は感謝しなければいけない立場なのではないか。そんな気持ちが湧いてきて、スマホに添えた指を動かせなくなった。

結局、愛美はあたりさわりのない感想を書き、あたりさわりのない点数をつけた。

これまでに彼女について書かれていたクチコミを改めて見直すと、やはりあたりさわりのないものばかりだった。相手が人間である以上、子どもを任せた相手にきつい批判はしにくいものだ。家を知られているのも不利なことだ。

それにしても、
時給1500円×七時間+手数料10パーセント+交通費1200円。

頭の中で計算した、小さく舌打ちをした。

夜、外出するだけで、これだけのお金が飛ぶのである。

仕事ならばともかく、遊ぶためにこの出費か。家でふつうに過ごしていれば出て行かなかった金額なのだ。

ため息をつきながら、スマホの画面を眺める。母からラインが来ていたことに気づいた。明日の予定の確認だった。

父にゴルフの予定が入ってしまい、明日の病院に自分が付き添うことになっていたのを思い出した。

母は気を遣い、「もし無理だったら私一人で行くからね」と、にっこり顔の絵文字を添えてくれているが、愛美の予定に合わせて、日曜の予約にしているのだ。ついていかないわけにもいくまい。そしてその間、夫の圭壱に子どもたちを任せることになる。彼は家事も育児も苦もなくやれる人ではあるが、たまの休みの日くらいのんびりさせてあげたいなと思った。

元はといえば、いざという時に実家の母に子どもたちを見てもらうことを考えてこの町に家を買ったのだった。しかし、越してきてしばらく経ち、年子の育児休暇がようやく明けて、これからバリバリ働こうという時に、母が突然、大腸がんになった。

大きな病気というのは、文字通り「突然」に発覚し、生活を一変させるものだ。

それまで、母には病気のイメージが全くなかった。友達のやっている喫茶店の手伝いをしながら、週に数度スポーツジムでエアロビクスに励んでいる母には、健康そのものの明るいイメージしかなかったのだ。

だが、病気は「突然」生まれるわけではない。知らないうちにじわじわと母の体の中で育っていた。

そういえば、予兆はあった。痔がどうの、漢方薬がどうの、と、だいぶ前から母は言っていた。育児に追われていた愛美は、しかしそうした母の言葉を聞き流していた。もちろん、それなりに心配はしたし、病院に行ってきなよと勧めた気もするが、母自身が「痔」と決めつけていた上、かかりつけ医もそう診断したのである。年をとればいろいろなところにガタがくるのよ、という母の言葉通りの受け止め方をしていた。

ある時、激痛があり、母は近所の病院で診てもらった後、大学病院でしっかり検査をした。

「他の臓器は綺麗だったのよ、早く見つけて良かったって言われたくらい。簡単な手術で、ぱっと治せるみたいだから」

と、おそらくは子育て中の娘を気遣ったのだろう、母はさっぱりとした口ぶりだった。

しかし愛美は、自分でも驚くほどショックを受けた。愛美は母を信頼していたし、自分の絶対的な味方は母だといつも思っていた。その母が、いなくなってしまうかもしれないと思うと、体ががくがくふるえるほどに怖かった。

インターネットや書籍などで大腸がんについて調べまくり、様々な体験談を読む中で、母が言っていた通り、他の臓器に転移がなかったのは本当に幸いであり、ありがたいことであったと感謝した。手術後、順調に治療を進めれば、長く元気で過ごせると分かった。情報というのはありがたい。必要以上に恐れるべきではなく、淡々とやるべきことをやり、一歩ずつ治してゆこうと、気持ちを整えられた。

実際のところ、父が介護休暇を取ったため、入院期間も、その後の治療期間も、思ったほどの大きな負担が愛美にかかることはなかった。予定された治療期間を終えると、母の日常も戻り、スポーツジムに再入会できるほど元気になった。

しかし、母の口から病名を聞いた瞬間の、心臓が凍るようなあの感触は、愛美の体にしっかり刻まれた。

母にいつまでも頼れるわけではないこと。母がいつまでも元気でいてくれるわけではないということ。命が有限であるという、あまりにも悲しく、そして当たり前のこと。それらを知ってしまった前と後とで、愛美の心のどこかが変わった。

今できることを全力でやろうと、愛美は思った。

母との時間を作るために配置転換を希望して減給されたのだろう父を思うと、実家には頼れない。全部一人で頑張ろうと、愛美は心のどこかで決めた。

出張や接待に参加できない分、家に持ち帰って仕事をした。子どもたちを寝かしつけてから、夜中にひとりでパソコンに向かうこともしばしばだった。寝不足の毎日で、通勤電車がきつかった。食事時間が惜しくていつも早食いしていたが、あの時期はまったく太らなかった。休日、圭壱が子どもたちを公園に連れて行ってくれると、家事もそこそこに真昼間から泥のように眠りこけるのもしばしばだった。

大変なことが続いた反面、保育園の先生や、マッチングアプリで見つけた数人のシッターさんたちには恵まれた。今日のシッターはハズレだったが、アプリ登録者の中には、本当に子どもを見るのが上手で、愛情深い人もいるのだ。

そうした人たちに助けられて、愛美はなんとかここまでやってこれた。

愛美の直属の上司であるデジタル推進部長の大原が、愛美の状況を理解してくれたのは、とても大きなことだった。

母親の闘病について打ち明けると、大原は、地方でひとり暮らしをしている父親が人工肛門をつけていると打ち明けた。今は大丈夫だが、いずれ引き取って同居するか、施設に入れるかを常に考えており、奥さんと毎日のように話し合っているそうだ。

同じ病気の家族を持つ大原は愛美を気遣い、仕事面での融通を利かせてくれた。

愛美が考えた、自社の冷凍食品の最適な解凍方法を都度短い動画にしてQRコードから飛べる場所に検索しやすくまとめるという販売戦略案を、実現へと働きかけてくれたのも大原だった。

愛美の発案を元に立ち上げたレシピ紹介サイト『コトコト』は、初動で予想を超える成功をおさめた。

それを機に、『コトコト』チームが立ち上がり、愛美はチームリーダーとなった。『コトコト』をさらに発展させようと、アレンジ料理の紹介や製造工程のショートムービーなどを配信していく企画を立てた。

その頃には、愛美は自分が生んだ『コトコト』をすっかり愛おしく思っていた。より内容を充実させて、皆に楽しんでもらえるものにしたいと張り切っていた。チームのリーダーという立場はおまけのようなものにしか思っていなかったのだ。

しかし大原は、社内の予算を引っ張るために『コトコト』を独立部門にし、その責任者に愛美を据えることを提案したのである。

組織改編などめったに行われない保守的な社風ではあるが、デジタル部門については上層部に知識がないためか、新しい意見が通りやすかった。

大原の声も大きかったのだろう、『コトコト』企画課が造られることになった。その課長職に、突然愛美が任命されたのである。

愛美は正直、戸惑った。会社のコースとして、課長は三十代前半で就くのが通常だった。先輩たちを何人も抜いての抜擢で、これはちょっとしたニュースになった。

戸惑ったものの、大原に期待されている事実に、愛美の心は燃えた。中学も高校も生徒会長を務めた経験のある愛美は、人の期待に応えたいと頑張るタイプであった。

大学のOGが、「仕事で大事なのは、やりがいや社会貢献や給料とか、そういうのより、とにかく人間関係」と言っていたのも思い出した。

聞いた時は「そんなものかなあ」と思ったけれど、今はその通りと思う。

信頼してもらえること。引き立ててもらえること。そのおかげでやりたい仕事をスムーズにできる。仕事とはいえ、そもそもは人と人との関わりなのだ。人に恵まれることで、仕事がますます楽しくなる。その好循環のただなかに、愛美はいた。自分の立身出世のためという思いよりも、大原の期待に応えたい、チームに楽しく仕事をしてもらいたい、『コトコト』を充実させていきたい、そんな思いが愛美を仕事に向かわせたのだ。

もとより公務員志望だった愛美は、同級の友人らに比べ、仕事にやりがいや華やかさよりも、堅実性と継続性を求めるところがあった。

公務員志望者が集うサークルで、適性チェックの心理テストを受けたのはまだ大学一年の時分だったが、愛美が仕事に求めることは優先度の高い順に、1．安定していること、2．人の役に立つこと、3．私生活と切り分けられることであった。

地方公務員試験と並行して就職活動をしていた時期はとても大変だったが、大学には公務員試験のための専門学校に通いながら、民間企業の就職活動をしている同志もいた。サークルに所属している学生の多くが公務員試験の勉強をしながら、民間企業の就職活動も並行していた。愛美も、公務員試験の勉強をしながら民間企業を受けようと思った。

だが、蓋を開けてみれば、長丁場になり倍率も高い公務員試験は、二兎を追う者をなかなか受け入れてはくれず、大学入学時から努力していた数人を除いて、ほとんどの同志は途中で挫折してしまったのである。愛美もそのうちのひとりだった。

とはいえ、堅実さに定評のある食品会社の内定を取れたのは幸いだった。

「国民的」と呼ばれるほど定番の冷凍食品を幾つか抱える愛美の勤め先は、最大手ではないものの名が通っており、経営は盤石と言われている。愛美の親も親戚も、この就職を寿いだ。

研修後に愛美が配属され、今も所属しているのは、デジタル推進部という歴史の浅い部門だった。

同世代の友人たちの中でもSNSをそれほど熱心にやっていなかった自分が、なぜ最先端の分野に配属されたか、謎だった。たとえば学生の頃から様々なSNSで顔と名前を売っていた同期の麻衣のほうが「デジタル広告の推進」というミッションにはよほど合う気がしたのだが、彼女が配属されたのは秘書課である。

後になって大原から、この会社は最初の配属を、本人の希望や、時には適性からも離れたところにすることが多いと聞いた。

それは創業者の考え方だそうで、幅広い視野を持たせたい、逆境を乗り越えさせたい……といった理由らしい。専門性の高い人物が求められる今の時代の在り方に逆行している気がしないでもないが、新しい世界を勉強することは、愛美には楽しかった。一方で、秘書課に配属された麻衣は、不満だらけのまま辞めてしまったのだが……。

そんなことをぼんやり考えていたら、さっきまで一緒にいた麻衣の姿が思い出された。

スタイルの良い麻衣は、新人の頃から濃紺の地味なスーツを着ていてもどことなく華やいで見えたが、今日も素敵だった。なんということもないシャツにデニム姿だったが、つるりと垢ぬけているのだ。目を凝らさないと見えないくらいに華奢な金のネックレスとうらはらに、耳たぶからは大ぶりのピアスが揺れていたりと、選ぶものすべてが洗練されている。

いくつかのエッセンシャルオイルを自分で配合して作ったという香水の小瓶をくれたのも麻衣である。彼女らしい、しゃれたギフトだった。

その香りについても説明されたが——そしてそれはとても魅力的な話だったが——、ふたりの男の子を追い回さなければならない日常の中で、きっと自分が使うことはないだろうと愛美は心の中でひそかに諦めていた。

わたしが帰った後、坂東と麻衣はどうしているのだろう。

もうすぐ日付が変わる時間帯だが、まだ同じ店で飲んでいるのかもしれない。

そんなことをぼんやり思いながら、愛美はテレビをつけた。店を閉めてから、圭壱がここに戻るまで、残り約四十分。

「飲みなおすか」

愛美は呟き、冷蔵庫を開けて、安い時に買いだめしておいたレモンサワーの缶を取り出し、プルタブを開けた。そして、インターネット配信の韓国ドラマを流した。

たまに見ている続きものの法廷ドラマだったが、なぜだか今夜は筋が頭に入ってこなかった。目は字幕を追っているのに、その内容を理解できない。

なんでこんなにもやもやしているのだろう。

ベビーシッターの件以上に、心の中に巣くう黒々とした靄(もや)があった。

ひと呼吸おいて、愛美はその靄を見直した。それは、坂東と麻衣の会話だった。

――同期初の女性部長になっちゃうんじゃないの。

――最年少部長、最年少役員を経て初の女性社長になるんじゃないか。

よくあるくだらないからかいだと分かっていたが、あの時、自分でも不思議なほどに心が荒れた。

店を飛び出してしまったのは大人げなかったと今は思う。坂東と麻衣のああいう掛け合いに悪気はないのも知っている。悪気はなく、そして、本当の賞賛ではないことも。

ぐいっと、レモンサワーを一気飲みした。

「なに言ってんだよ」

珍しく、愛美は毒づいた。

「なにが同期初の女性部長だよ！　女性社長だよ！」

お酒の勢いもあるかもしれないが、本当にむかむかしてきたのだ。

「あいつら。何にも分かっていない」

……いや、違う。実は、ものすごく「分かっている」のかもしれない。自分が所詮はお飾りの課長に過ぎないということを、彼らは分かっているのかもしれないと、愛美は思った。


お飾りの課長……

そう思うようになったのは、最近のことではなかった。

『コトコト』企画課を新設した理由について、大原から、そのほうが予算を取りやすい、広告とクリエイティブを分けたほうが体制の整理がしやすい、などと説明された。大原は愛美を会議室に呼び出し、課長に推そうと思っていると言った。

「年若いことや、女性だということでいろいろと騒がれるかもしれないが、ぜひ覚悟と意欲を持って取り組んでもらいたい」

大原を心底信頼していた愛美は、

「ありがとうございます」

と頭を下げた。

だけど、心のどこかでかすかに「年若い」はまだ分かるけれど、「女性だということで」とは一体どういうことだろう、と思った。

入社して以来、社内で男女不平等を感じたことはない。終身雇用を考えて就職活動をした愛美にとっては、説明会や面接に現れる女性社員の姿が少なくなかったことも、この会社の志望動機のひとつだった。食に密着した会社だからこそ、女性社員の意見も大事にされているのだろうと思った。実際に、同期の男女比はちょうど半々だった。商社や他メーカーに就職した友人たちの話を聞く限り、ジェンダーギャップのない会社だと思い、誇らしかった。

社内初の二十代女性課長となり、そのことで周囲からちやほやされるようになってみて、愛美に見えてきたことがある。

たしかにこの会社は、女性社員の数が多い。

しかしながら、リーダーの数は？　女性部長は？　女性の取締役は？

会社は、とにかくインスタントに「二十代の女性課長」を作りたかったのではないかと、今になって勘繰っている。二児の母であり、新企画をたまたま運よく軌道に乗せた自分は、パズルのワンピースのように、会社の思惑に当てはまったのではないか、と。

愛美を課長に推挙した大原に、そこまでの読みがあったかは分からない。愛美としては、大原は自分の力を買ってくれたと思いたい。

しかし会社の思惑は、愛美の想像を超えていた。

まず、リクルートチームが愛美の存在に目をつけた。

愛美は現在、会社の広告塔である。課長就任後間もなく、会社の採用ホームページのトップ画面に愛美の顔が大きく掲載された。トップページではなくなったものの、いまだに愛美のインタビューは掲載されている。

あれはスタイリストとメイク担当者をつけて、プロのカメラマンに撮ってもらった写真だ。撮影された時、会社が自分に対してそんなことまでしてくれることに、愛美は驚き、感動さえしたのだ。

その後まもなく広報部から、社内報で愛美を取り上げたいと声がかかった。

インタビュアーだった二年上の女性の先輩から、家庭と仕事の両立の仕方、今後やりたい仕事、同期との友情……などについて訊かれた。その内容がまとめられ、社内報に掲載されるとともに、会社紹介のパンフレットにも転載された。

それがきっかけとなり、愛美のライフスタイルは対外的にも注目を集めた。

女性誌や女性向けのサイトからも取材のリクエストがあったことには驚いた。

そもそも愛美は、大勢の注目を集めたり、ちやほやされたりということに、喜びをおぼえるタイプではない。むしろ、目立たずとも自分の働きでチームに良い影響を及ぼせることのほうが嬉しいのだ。

だが、これは仕事である。広報部から依頼されれば、基本的に会社員の愛美はよそからの取材にも応じる。それが会社の利益につながることだと思うから。仕事の時間が削られると思いながらも、女性誌の取材に応じる。女性が活躍するうんたらかんたらセミナーのパネラーに呼ばれれば、行って会社のイメージアップにつながるであろうことを考えながら話す。それが自分に求められている役割だと思うから。

会社は、愛美に甘え続ける。

「二児の母である二十代の女性が課長としてチームを率いて生き生きと働ける会社」であることを、愛美を使って堂々とPRする。実際には女性で課長以上の役職についている人間は数人しかいないというのに。

最近の学生たちは、ワーク・ライフ・バランスを重んじる。特に女子学生は結婚や子育てを経て、長く働ける会社かどうかを見極めようとしている。愛美は彼女らを安心させるためのロールモデルだ。自分でもその役割を分かっている。自分が頑張ることで、後につづく若い女性に活躍の場が増えていくだろうと思うから、PRのためのピースになるのを拒まなかった。

愛美の露出が多くなったことを、周りは歓迎しているように見えた。

「……を見たよ。大活躍だね」

「……に載っていたね。すごいね」

あちこちから声をかけられた。

大学時代の公務員就職を目指すサークルの仲間たちもFBに賛辞を寄せてくれた。大活躍だね、すごいね……

同期も愛美の昇進祝いをしてくれた。それぞれの持ち場で忙しく働いている皆が夜遅くに集まり、乾杯をしてくれたのは嬉しかった。大活躍だね、すごいね……。そこでもさんざん言われた。それらの言葉が嬉しくなかったわけではない。皆に褒められた分、がんばろうと心から思えた。

幸い、愛美のチーム下で動画アプリ化された『コトコト』は、無料会員が二万人を超えるまでに急成長した。

何人かの料理研究家と提携し、冷凍食材を利用したオリジナルレシピを開発し、カロリーや栄養価と共に紹介した。リンク先から社のECサイトへ流れた会員らによる注文も倍増し、社内報の社長による連載コラムでは名前を出されて、賞賛された。

「江原愛美さんのアイデアも素晴らしい。しかし、江原さんの企画をいち早く実現に生かした周囲の力も誇らしい。若い女性のアイデアを経験不足と一蹴せず、そこに勝機を見たのだ。これをビジネスセンスと言わずして、何と呼ぼうか」……オーナー社長の言葉である。

この記事がきっかけとなり、社内上層部の間でにわか有名人となった愛美は、エレベーターやエントランスなど、会社のあちこちで取締役らに声をかけられるようになった。

常務と役員たちの寿司ランチに呼ばれて、ご馳走になったこともある。

目上の人に誘われれば、愛美は応じる。経験豊富な先輩たちに学びたいと、素直に思う。『コトコト』企画課の仕事を上層部に認めてもらうことは、社内折衝や予算確保など、今後の仕事をやりやすくすることにもつながる。それは、課長である自分の役割のひとつだと思うからだ。

役員に、ゴルフをやりなさい、と言われれば、はい、と答える。常務に奥さんのお古がひとセットあるから使いなさい、と言われれば、ありがとうございます、と礼を言う。ゴルフセットが家に送られてくれば、菓子を添えて礼状を出す。取引先も来ると言われれば、ゴルフコンペに参加もする。事前にちょっと練習しただけの愛美は、同じくほぼ未経験である取引先の若手と共にブービー賞を争い、おじさんたちに愛でられる。皆、若いふたりに指導したがる。

思い返せば、コンペに参加した約二十名の中に、女性は三人しかいなかった。愛美以外のふたりの女性は四十歳ほどだろうか、綺麗な人だが社内の人間ではなかった。世間話はしたが、所属や仕事内容については話さなかった。食後に、役員に紹介された数人としか、名刺交換をしなかった。

愛美は子どもがちいさいことを理由に、皆より先に帰宅する。荷物は送り、行きも帰りも電車である。近隣の県への往復三時間。他の人たちは車だったようだ。乗って行くようにと、愛美に声をかける人間はいない。

家では、一日子育てに奮闘した圭壱が待っている。ふたりの男児の世話で、圭壱もくたくただ。愛美が駅で買ったコンビニ弁当を食べる。料理を仕事にしている圭壱は、家では作らない。コンビニ弁当に文句を言うわけでもない。愛美が疲れていることも分かっている。

ゆっくりと話す時間が減ったと愛美は思う。

なんだかいつも疲れているのだ。圭壱も愛美も。

何のために呼ばれたのだろうと思う日が増えた。それでも愛美は拒まずに、笑顔を絶やさず、『コトコト』と自分のチームのために社内営業をし続けた。

半年ほど前から風向きが変わりつつあった。

ベンチャー企業が、「冷蔵庫の食材だけで作るその日御飯」をコンセプトに、『コトコト』によく似た動画アプリを立ち上げた。それが大ヒットしたのだ。

双方を見比べて、愛美は、『コトコト』のほうが丁寧な作りで、紹介している料理内容も凝っていると思った。

しかし、レシピ数であっという間に追いつかれ、追い抜かれてしまった。ベンチャーのアプリは、料理以前のもの、たとえば米のとぎ方や、野菜の保管方法なども、短めの動画にばんばんあげていた。とにかく量とスピードで迫ってきたのである。

これを受けて愛美は、『コトコト』の路線変更を考えて提案した。

会員の囲い込みから、認知度のアップを目指す方向への転換を考えたのである。自社商品にこだわらず、提携している料理研究家たちと共にオリジナルレシピを開拓して発表する。そのためには予算を大きく増やさなければいけない。だが、会員数が増えれば告知ツールとしても使えるようになる。その先にあるのは、『コトコト』を広告収益を生み出せるメディアに育てることである。

『コトコト』生みの親として、また、『コトコト』チームを引っ張るリーダーとして、愛美が自分を売り出すことよりも、『コトコト』の成長を大事に思うのは、当然のことであった。

しかし会社は愛美の案を受け入れなかったのである。

却下された時、愛美は、自分の出した案が甘かったのではないかと思った。それで、細かいところを見直し、削れるところは削り、企画を練り直して提出した。

だが、最後まで報われなかった。

経営会議で、『コトコト』にこれ以上の予算をつぎ込む必要はないという結論になったことを、大原から聞かされた。それを告げる大原の顔に、忸怩としたものが一片も見られなかったことが、愛美を傷つけた。『コトコト』は、あくまで自社商品の売り上げに貢献するツールのひとつであればいいというのが社の方針であり、大原の考えでもあるのだろう。

それでも粘ろうとした愛美に、大原は言った。

「『コトコト』は、これまで通り、可愛い感じでやっていけばいいじゃないか」

と。なんの悪気も、てらいもない感じで。

「可愛い感じって、どういう意味ですか」

愛美が真顔で訊き返すと、大原は少し慌てた。自分の言葉が、うっかりなんらかの差別につながると思われたのではないかと恐れる顔で、それは、自分が差別する側であることを無意識に知っている者のものであった。

「いや、だから、これまでみたいに、ってことだよ。予算をつけると責任も大きくなってしまう。そんなしゃかりきになって取り組まなくても、今まで通り、販促ツールのひとつとして、うちの商品を盛り立ててほしいっていうことだよ。実際、社内で評判いいじゃない。社長の奥さんも『コトコト』をよく見ているっていうし」

大原は少し動揺しながらも、まるでそれを言えば愛美が喜ぶと思っているかのような顔をしていた。

愛美は大原の本音と、社の方針を、瞬時に理解した。

『コトコト』をもっと大きなアプリに、影響力のあるメディアに育てたいという野望を、この人は、そして会社も、最初から持っていなかったのだ。

「承知しました。ありがとうございます」

と答えて、なんとか笑顔を作るくらいの社交性と処世術と、そして諦めを、愛美はすでに持ち合わせていた。

『コトコト』はその後も自社商品の販促ツールのひとつとして、会社の公式ホームページ内で動画配信を続けた。

今も、そのまま『コトコト』企画課のコンテンツとして制作が継続している。

やっていることは、立ち上げ当初から何も変わっていない。せいぜい販促キャンペーンの一貫として、ユーザーにレシピ募集をしたことくらいか。コンテストと名づけたその企画についても、自社サイトと自社SNSくらいでしか宣伝を打てず、応募数も少なかった。後輩が企画を持ってきた時に、有名な料理研究家に審査委員を依頼したり、商品を海外旅行などちょっと豪華にしたりし、女性誌に宣伝を打ったりなど、アイデアはいくつも頭に浮かんだが、全部諦めた。

何しろ、『コトコト』は「可愛い感じ」でなければならないのだから。これ以上の予算を投じてもらえないのだから。

諦めた後で、愛美は思った。

『コトコト』と一緒に、わたしもまた、「可愛い感じ」の中に閉じ込められている、と。

考えないようにしていたが、本当は分かっていた。

この会社は、基本的に他部署に異動する時に役職が下がることがない。だからこそ、愛美は異動できないのだ。大きなミスでもしない限り、課長職以上に就かせないわけにはいかなくなってしまったから。

——愛美のことだから、同期初の女性部長になっちゃうんじゃないの。

——部長じゃ済まないよ。最年少部長、最年少役員を経て初の女性社長になるんじゃないか。

坂東と麻衣の戯言(ざれごと)を思い出す。

麻衣はともかく、同じ社内ですでに係長や主任へと、順調にのぼってきている坂東が、愛美が「お飾り」である現状を知らないわけがないのだ。細かい仕事のことまで知らなかったとしても、主流ではないということくらいは分かっているはずだ。そう分かっているからこそ、安心して茶化せるということを、愛美は分かっていた。

玄関ドアがかちゃりと音を立てて開いた。

ぼんやりしていた愛美ははっと現実に戻った。

テレビの中では韓国人の俳優ふたりが法廷闘争を繰り広げている。シリアスな内容なのに、ところどころ奇妙なくらいに泥臭いギャグが入るこのドラマを、愛美はわりと気に入っているのだが、内容はさっぱり抜け落ちていて、なぜ今このふたりが言い争っているのかが、分からなかった。

うぃーっと聞こえるような低い音を発しながら、圭壱が居間に入ってきた。おそらくは「ただいま」のつもりなのだろう。声だけで、疲労が伝わる。

愛美はドラマを一時停止して、

「おかえりー。遅かったね」

と声をかけた。

そして、はっとした。

土色というのだろうか、圭壱の顔色が、初めて見るような、ぞっとするような暗さだったからだ。

「圭ちゃん」

つい、呼びかけた。

「起きてたのか」

と言いながら入ってきた圭壱の顔は、灯りの下で見るとそれほど酷くはなかった。居間の廊下側の、見上げた時のその一角だけ照明があたっていないからだろうか。

だとしても、一瞬見てしまった夫の土色の顔に愛美の鼓動は若干乱れた。素知らぬ顔をして、

「何か食べる？　簡単なもの作ろうか？」

と明るく言った。冷蔵庫に冷凍うどんがある。卵もある。冷凍のほうれん草もあったはずだ。

「いや、大丈夫」

圭壱が言った。

「お風呂沸いてるよ」

「あー、サンキュ」

圭壱が笑った。いつも通りの笑顔だった。そこで愛美はほっとして、

「なんか、ちょっと顔色悪いよ～　疲れてるんじゃないの？」

と、言った。軽い口ぶりを心掛けたものの、口に出したとたんに、ぞくりと背中が寒くなるような感じがした。母親から重い病名を告げられた時のことを思い出した。圭壱は若いのだし、学生時代にスポーツで鳴らしていた体は頑丈なはずだ。まさか、と思う。

「まあ、遅かったからね。ただ、いい話もある」

と、圭壱が言った。

「なに？」

「新店舗を任されることになった」

圭壱が言った。

「え。掛け持ちってこと？」

それは、いい話なのだろうか。愛美は不安を覚えた。

圭壱は、ワインを取りそろえたカジュアルなイタリアンや個室メインの創作和食など、ファミレスの一段上だが身構えるほどの高級店ではない飲食店を束ねたチェーンに勤めており、今も都心のイタリアンの店長をやっている。一時期、欠員が出たことで掛け持ちで二店をまわっていたことがある。まだ結婚する前だったが、その時に圭壱は過労で体調を崩したのだ。

「いや、新規店舗を担当することになった」

顔色は悪いが、圭壱の表情は明るく、口調も朗らかだった。

「そうなの」

「一応、統括になった。今の店以外にもう一店、そこは店舗のプロデュースから、人の選考、メニューの企画まで全部する」

「え、すごいじゃん」

愛美は驚いた。統括マネージャーは、店長の一個上の役職のはずだ。

「それで、俺、ちょっと大変になるけど、ここは踏ん張りどころだと思ってて」

「だよね。分かる」

「でも、愛美も仕事やお母さんのことや、色々あると思うから、シッターとか、家事代行とか、できるだけ外に委託して、なんとか」

「うん」

愛美は頷いた。頷いたが、シッターも家事代行も、小さくはない出費だ。家のローンがあり、教育費など先のことを考えれば、そう簡単に外注はできないだろう。その皺寄せは、きっと自分に来るだろう。でも、愛美が『コトコト』を立ち上げた時に、圭壱が多くを負ってくれたのは確かだった。今度は自分の番だと思いながら、

「ひとまずお風呂に入ってきなよ」

と愛美は言う。

「ありがとう」

風呂に向かう夫の後ろ姿は、気のせいだろうか、記憶の中のそれより少しかぼそく、背が丸まっているように見える。

頑張らなくちゃ。

愛美は心の中でつぶやく。お飾りだろうが、何だろうが、課長の立場を与えられ、同期より多い役職手当をもらえているのだ。自分が女だから優遇されるのかと疑ったり、周囲からの目を勘繰ったり、分不相応な野心にもやもやしたりしていると、もしかしたら大切なものを見失ってしまうかもしれない。

圭壱が風呂を使い始めた音を聞きながら、愛美は思った。

わたしはわたしで、自分の仕事をし、家族を守り、わたしの人生を生きていこう、と。

岡崎彩子

同い歳の正社員の女性のホームパーティに招かれた時、一部の男性社員から「ハケンさん」と

呼ばれている岡崎彩子は、即座に「行きます！」と答えた。もちろん完璧な笑顔をこしらえて。そしてその日から、どう断ろうかを一週間にわたり算段し続けた。

それでも結局行くことにしたのは、誘ってくれた正社員の女性――三芳菜々さん、三十歳、社内結婚、妊娠中――が連日にわたり無邪気な笑顔で、「何か食べたいものとかある？」「手土産とか気にしなくていいからね」「うちから彩子ちゃんちまでは、乗り換え時間入れても四十分くらいで帰れると思う」などと、こまめに話しかけてきたからである。

彩子に来てもらいたい気持ちを前面に押し出しうきうきと話しかけてくる彼女を前に、断るタイミングを逸した。もしかしたら、心のどこかに、彼女や彼女の同期たちともっと深く関わりたいという思いがあったからかもしれない。

菜々は、事前に、新人の頃の工場研修で同じ班だった同期たちを招くということも彩子に伝えていた。

同期の再会の場に自分なんかがいてもいいのか何度も確認した彩子に、「ぜんっぜん大丈夫」と菜々は力強く言った。会社を辞めてからだいぶ経つ子もいるし、気の置けないメンバーだからぜひ来てほしい、と。

聞くと、菜々の同期には社内有名人の江原愛美や、たまに仕事でやりとりすることもあって穏やかな話しぶりに安心できる西もいた。そんなメンバーだと聞いて、新たに交友関係を増やしたいという欲も出てきた。

それに。

これこそが、大きな理由なのであるが、彩子は菜々のことがいつの間にか好きになっていたのだ。

最初は警戒していたし、正社員の彼女と仲良くなる気もなかったが、菜々はあまりに屈託なく話しかけてくるし、たまにされる仕事の頼み方も丁寧で、かつ指示が具体的で分かりやすかった。何より、機嫌によって人当たりを変えたり、相手によって振る舞いを変えたりすることのない、大らかでフェアな性格だということが、付き合いを深めるごと分かってきて安心できたのだ。

付き合いも長くなり、すでに彩子は菜々に対する警戒心をすっかり解き、昼にはふたりでランチを食べる仲である。

ドラマや好きなアイドルや社内の人たちの噂など、屈託のない話で盛り上がる。学生時代の友人関係を彷彿(ほうふつ)とさせるような気軽な付き合いができるようになり、彩子は会社に行くことが苦ではなくなった。できる限り任期を延長して、この会社に勤めたいと思えたのは、どこかのんびりした社風や、彩子が思うところの「変な人」がいないというのもあるが、菜々の存在もまた、大きいのだった。

前の会社も、その前の会社も、その前の前の会社も、新卒で入社した税理士事務所も、彩子は長く勤めることができなかった。

簿記二級を始め、いくつかの資格を取得し、事務職としてひと通りのことならそつなくやれる自信はある。几帳面な性格が幸いし、これまでに大きなミスをしたこともない。

問題はいつも、仕事上での人間関係にあった。

年上や同僚の女性に理由もなく疎まれ、嫌味を言われたり、ちいさないじわるを繰り返されたりすることが多かった。一方で指導担当になった男性の先輩や、上司の既婚男性などにどういうわけだか妙に好かれ、しつこく誘われる。

それにしても……

――理由もなく？

――どういうわけだか？

本当に理由がないのか。どういうわけか、分からないのか。

これまで四か所で同じ現象が続いたのだ。何か自分の中に、同性に嫌われやすいところや、年上の男性に好かれやすいところがあるのではないか。

色々と考えあぐねた彩子は、これまでのトラブルの原因は、自分の無自覚な若さと、女ともだちがいなかったことではないかという結論を導き出した。

テレビでたまに見る二十歳そこそこのタレントの幼い言動に、自分を重ねる。

敬語もままならず、うまく礼も言えず、いつもびくびくしていて、そうかといえば慣れないおべっかを言ったりしていた。あの頃の自分を思い出したくない。

だとしても、必要以上の嫌味を言ったり、仕事を隠したり、押しつけたりしてくるような「変な人」は常にいた。

年上の変な男たちに構われたのは、自分が孤独そうに見えたからではないかと思っている。

事務の他の女性たちとうまくなじめず、いつも一人でいた。いじめられていたわけではないが、昔から自分には、大勢の輪にうまく溶け込めないところがあると思っている。子どもの頃からだ。

ふたりになれば話せる相手ばかりが集まったグループの中でも、率先して喋ることはできなかった。

皆に聞かせるほど価値のある話を、自分ができるとはとても思えないのだ。

心のどこかで、わたしの話を聞きたい人などいないのではないかと思ってしまう。輪の中で元気に喋って笑いを集められる友達が羨ましかった。皆を楽しませられる力があることに加え、自分に、皆を楽しませられる力があると思えるその無意識の自信を備えていることが。

そんな気持ちが根底にあるからか、同性の同僚と話す時に身構えてしまう。嫌われないようにとつい低姿勢に振る舞い、少しでも好いてもらえるようにと必死に世辞を言ってしまう。そんな自虐的な姿勢もまた、人を遠ざける理由のひとつかもしれなかった。

最初に勤めた税理士事務所で、彩子に仕事の悩みを訊いてくれた雇い主にその話をしたら、「自己肯定感が低すぎる」「もっと自分に自信を持つべきだ」と言われた。

まさに、その通りだと思った。

自分など取るに足らない人間だという思いが、常に心のどこかにあるのを知っていた。

彩子の自己肯定感の低さを指摘したその税理士は、連れて行ってくれたカウンターテーブルの和食店で、「君を採用した決定的な理由はね」と声をちいさくして、告げた。履歴書の文字が最終的な決定打となったのだと言った。何言っとんねんと今なら思うが、二十歳になったばかりの彩子は素直に感謝し、いい人だと思った。

男の褒め方も巧みだった。「字がうまい」と言うのではなく、「真面目で誠実な性格が滲(にじ)み出るような文字だと思った」という言い方をした。その言葉を嬉しく思った幼い自分を、抱きしめてあげたいくらいだ。

ずっと書道を習っていたという話をすると、お嬢様育ちなんだな、と眩しげな目で見られたのも覚えている。

実際は、クリーニング屋を運営する実家の経済状況はかつかつだった。書道は、近所の、半分ボランティアのようなかたちで開いてくれていた主婦の教室に通って、習った。県立高校を出て、短大の簿記のコースを修得し、二級まで取得した。

最初こそ彩子の自己肯定感の低さに寄り添おうとしてくれた感のあった雇い主は、やがて、妻帯者でありながら、しかも彩子の父親と同年代でありながら、彩子に肉体関係を求めてきた。

彩子がやんわりと断り続けると、同僚の事務員たちとうまくやれないでいた彼女を「そういう考え方は良くない」「甘えている」などと真っ向から否定し出した。事務員たちの上司でありながら、人間関係の調整をはかることもせず、思い悩む彩子の自己肯定感の低さをふたたび指摘し、挙句、「親の育て方のせいだ」などと言った。結局、彼も「変な人」なのだった。

変な人たちの事務所から逃げるように抜け出し、その後は派遣会社に登録して勤め先を転々とするようになった。

次に付き合った男もまた「変な人」だった。派遣先で既婚の上司（これもまた変な人であった）に言い寄られていた時に、彼氏のふりをしてくれた同年代の男だったが、頼もしく見えたものの、付き合い出すと束縛が激しくなった。他の男に色目を使うなどと身に覚えのない言いがかりをつけてくるようになった。彩子は契約満了とともにその会社を辞めて、引っ越した。彼から逃げるように離れたのだ。

次の職場でも、その次の職場でも、変な人は常に存在し、似たようなトラブルの気配が常にあった。

世の中の若い女性、皆が皆、こういう目に遭うのかどうか、彩子には分からない。

しかし、彼女は本当に、何度となく同じ目に遭ってきたのだ。

危険を察知するたび、彩子は逃げた。そして、そうやって逃げるたびに、彩子は何かを失った。

それは、同じ会社に勤め続けるという経験であり、仕事で何かを成し遂げるという実績であり、もしかしたら若さであったかもしれない。

だが、二十代の彩子には、逃げるしか手立てがなかった。

三十歳になる直前に派遣されたこの食品会社の経理部で、ようやく深呼吸できる気分になった。人に恵まれたとしか言いようがない。

経理部長は愛妻家だった。「愛妻家」や「恐妻家」を前面に出してくる人物は意外に要注意で、陰で若い子を口説くようなタイプも少なくないのだったが、経理部長は本物の愛妻家だ。その証拠に、部下が奥さんの話をすると本気で顔を赤らめて照れる。そんな人を見たのは初めてだった。

経理部には他に社員三人と派遣社員が一人いるが、いずれも穏やかな人物だった。仕事も丁寧に教えてくれたし、ミスをした時に必要以上に責める人もいなかった。これまでどの職場でもうまくいかなかったのはなぜだろうと思うくらいに、彩子はすんなり溶け込めた。ようやく普通に仕事ができるようになった。

会社で彩子が担当しているのは、主に支払いと請求の業務である。

社員たちが、交通費や出張費や接待費などのために立て替えた経費の支払いをする。そのための書類を作成し、請求書の発行を行う。

これまで勤めた会社の中には、請求書や領収書を電子データ化して保存し、効率よく検索できるところもあったが、彩子の勤め先である食品会社は古い慣習がまだ残っており、一定の金額以上の請求書は原本をファイリングして保管することになっている。彩子は電子データと原本のどちらをも、検索しやすいように保管する仕事を任されていた。そして彼女は、一見地味なその仕事を好んでいた。

彩子が作成したファイルの保管先の一部は、スペースの関係で管理部の棚になっている。その棚の前に座っている菜々は、人懐っこい性格で、行き来する彩子に気軽に話しかけてきた。経理部と管理部は定期的に合同会議を開くが、そのセッティングも共に請け負うようになり、距離が縮まった。友達みたいな関係が深まり、菜々の家に呼ばれたわけである。

主催者である菜々が妊娠中だということもあって、その集まりは、思いのほか早くお開きになった。

駅までの道を歩くうち、何とはなしに、板倉麻衣の隣を歩くことになった彩子は緊張した。新卒で入社したが、すぐに辞めてしまったという彼女は、同い歳とは思えないほど大人っぽく、振る舞いも持ち物も洗練されて見えた。おまけにさばさばとした明るい性格で、部外者の彩子にまで手作りの香水を配り出す準備の良さとコミュ力である。

麻衣を前に、彩子は、自分がちっぽけで価値のない存在になってしまったように思った。

そういう時に、彩子の悪い癖が出る。

「麻衣さんて、本当に多才なんですね」

「麻衣さんて、有名なライターさんだって本当ですか」

これは彩子にとって精一杯の処世術だった。近づきがたい感じの人を前にすると、緊張して、あたりさわりのない世間話ができなくなってしまう。褒めることしかできない。相手の興味を惹く話題を提供できないという、引け目の裏返しである。

だが、褒めれば褒めるだけ、真横を歩く麻衣の瞳から徐々に温度が消えていくのを感じた。

そのさまを間近で見ながら、こういうところだな、と彩子の心は塞いだ。

分かっているのに、なぜやってしまうのだろう。きっぱりと突きつけられたような気がした。

こういうところが同性に嫌われるところなんだ、と。

「ふつうに話していいよ。同い歳なんだし」

ついには麻衣に言われてしまった。

自分はふつうに話すこともできていないんだ。彩子は目の前が暗くなるのを感じた。

来なきゃよかった、こんなとこ。

急にそう思った。

他の人たちに合流してから、彩子は話すのをやめた。

今日の自分は菜々のお情けでここにいる。

そんな考えが生まれて、惨めな気分になった。自分を招待した菜々に対し、もやもやとした怒りのようなものが湧いてくる。

菜々はもちろん、悪い人ではない。むしろ性格がよすぎるのだ。彩子の、へたくそなりに必死な処世術をおべっかとも世辞ともとらず、素直に大らかに受け止めてくれる。その上、自分のテリトリーである自宅や、同期仲間との会合に、あっけらかんと招待してくれたのだ。やはり自分が空気を読んで、断るべきだった。

帰り道で、他の同期たちと合流すると、とたんに麻衣は生き生きと喋り出した。そのテンポは速く、話の内容にも彩子はついていけなかった。

するとと愛美が、気遣うような笑みを浮かべて、

「彩子さん、今日はお話しできてよかった」

と、話しかけてきた。

「こちらこそです。皆さん同期なのに、わたしだけ場違いじゃなかったかと」

彩子は必死になって笑顔を作りながら、この人も菜々と同じで親切なんだなと思った。

「えぇー、全然。むしろ、社内に知り合いができてよかった」

愛美の自然な感じの受け答えには、風格を感じた。二十代で課長というスピード出世を遂げた社内有名人は、如才なく気配りをしてくれる。ホームパーティの間も愛美は、内輪受けする思い出話が盛り上がりそうになると、さりげなく彩子に解説してくれた。

そんな麻衣や愛美のコミュ力や親切さは、いまや彩子の心に影を落とす。

自分ひとりが駄目人間に思えてくるのだ。

もう一軒行こうと声をかけられた時、ひやりとした。ここでふらりとついて行ってしまったら、また場の空気を乱してしまうし、おまけに出費もかさむだろう。今日一日の手土産代と交通費も、ちょっとした痛手だった。菜々からは手ぶらで来てねと言われたが、そういうわけにもいかないと思い、フルーツ入りのパウンドケーキを買った。ホームパーティといっても、交通費と合わせれば、高級なレストランで食べるのと同じくらいの出費になるのだと思った。

彩子には手ぶらでと言った一方で、菜々は他の同期たちには事前に割り振っていたようで、前

菜、飲み物、デザートと、皆の分担は決まっていた。彩子が持ってきたケーキは愛美が持ってきたマドレーヌと重なってしまった。愛美のマドレーヌは小分け包装にされていたから、皆に土産ということで手渡され、彩子のケーキを切って食べた。お腹の大きい菜々を座らせて、愛美が切り分けた。こういうひと手間に気づけなかったことも、今になって悔やまれた。

「彩子ちゃんもどう?」

坂東に訊かれた。初対面なのに、すでに「ちゃん」付けで呼んでくる。

「わたし、明日の朝早いんで……」

彩子はもごもごと言いながら、この人苦手だなとちょっと思った。悪い人ではなさそうだが、いちいち声が大きくて、委縮してしまう。

語尾を濁した彩子を、誰も引き留めなかった。引き留められても困るのだが、彩子はなんだか寂しく思い、こういう自分の弱さもまた、麻衣のような人間には疎まれるのだろうと感じた。

「じゃあね。気をつけて帰ってね。また会社で会ったらよろしくお願いします」

と、愛美が丁寧に声をかけてくれた他は、皆さっぱりとした様子で、彩子が輪から離れるのを見送りもしなかった。

駅はもうすぐそこだった。彩子は足を速めた。なんだか疲れた。明日は休日で、特に何も予定はなかったが、早く帰って、温めた牛乳でも飲んで、さっさと寝てしまおうと思った。

その時、肩のあたりをちいさくトンッと叩かれた。

振り向くと、さっきまで同じ輪にいた西だった。

今日はほとんど話さなかったが、時々経理部に問い合わせの電話をかけてくる人だ。社内で姿を見かけたこともある。穏やかそうで、坂東に比べるとずっと話しやすいタイプだ。

「呼んだんですが、すみません」

と、西は言った。少し息があがっており、ここまで走って追いかけてきてくれたようだった。

「皆さんと二軒目に行かなかったんですか」

彩子が訊ねると、

「もう帰ろうと思って」

西は言った。

そのままふたりは歩き出したが、駅が見えてくると、

「まだ、時間早いですね」

と、西が言った。

「そうですね」

と彩子は言った。

「まだ早いので、飲みなおしませんか」

西に言われた。

「え、今からですか」

彩子が確認すると、

「あー、やめましょう、もう遅いですからね」

と、西がいきなり話を収束させた。

その素早さに彩子はつい笑ってしまった。もう帰ると言ったり、まだ早いと言ったり、ちぐは

ぐな言動とうらはらに彼がなんとか自分を誘おうとしていることに、彩子はもちろん気がついて、

「わたしはいいですよ」

と、すぐに言った。

疲れていたけれど、今日初めて、本当に自分と話したいと思っている人に出会えた気がして、嬉しかった。

「じゃ、行きますかっ」

西の顔が素直に明るくなる。

「でも、ここだと他のみんなに会っちゃうかもしれないから」

「あ、それはそうだ」

「じゃあ……」

と、彩子から別の街を提案した。共犯にでもなったかのような甘やかさが滲んだ。

彩子は西と電車に乗り、街を移動した。飲みなおし、と言ったわりに、結局ふたりはファミレスに入ったのである。

ハウスワインを頼み、かたちばかりの乾杯をした。西は赤を、彩子は白を。

あかあかとした店内で、特に酔っぱらってもいない彩子は、急に気まずさを感じた。西も饒舌なタイプではないらしく、ワイングラスをいじりながら黙っている。

「混んでましたね」

と、彩子から言った。

ここに来るまでに二軒ほど居酒屋を見て回ったのだったが満席で入れなかったのだ。

「混んでましたね」

西が同じ言葉を返した。

話はなかなか広がらなかった。

彩子は麻衣や愛美の姿を思い浮かべた。フリーランスでばりばり活躍している麻衣と、同期で一番の出世をしている正社員の愛美。彩子と同じ歳なのだが、人間力がまるで違うと思った。あのふたりなら、こういう時に誰が相手だろうと当たり障りなくとも笑い合えるような話題を出して、巧みに楽しい時間を創り出せるのではないか。それに引き換え自分は……

しかし、問題は西にもあるような気がする。

なにしろ、西から誘ってきたのである。それでいて、会話のかじ取りを自分に任されても、と思ってしまう。

今日来ていた坂東や三芳だったらどうだろう。どこかしら体育会系のノリを感じる坂東や、洒落者の三芳に、彩子は近づきがたいものを感じるが、彼らのコミュニケーション能力はさすがだと思う。菜々の家でも彼らふたりが話題を提供することが多かった。場が静まらないように、うまいあんばいで皆に話を振り、話を引き出し、合間に漫才のような面白いやりとりをしては、場を盛り上げていた。そういう時間も、西は黙っていることが多かったように思う。

職場で見かけた西の姿も、いつもおとなしそうだった。そんな彼が率先して誘ってきたことのほうが意外で、ちょっと自分に気があるのではないかとすら思ったのだが、それにしても、この沈黙は何だろう。

気まずさのあまり、彩子は思い切って何か話しかけてみることにした。

「あの」「あの」

西の声が重なった。

顔を見合わせて、小さく笑い、どうぞどうぞと譲り合う。

「じゃあ、僕から言いますが、いつも経理のことでご迷惑をおかけしているんじゃないかと……、恐縮してます」

「えっ」

思いもかけないことを言われて、彩子は驚いた。

一体なんのことを言っているのだろうと考えて、彩子は思い出した。ひと月ほど前に、西から出張費用の精算について追加で頼まれ事をしたのだった。作業が二度手間になってしまったが、格別大変ということもなかった。そのくらいの頼み事をしてくる人たちはざらにいる。

「迷惑なんてことはないですよ」

彩子は言った。

「後から出てきた領収書があったりしたものですから。最初にまとめておけばよかったのですが」

「そういうこと、ありますよね」

「そのことをきちんと謝ろうと思いながら、タイミングがなく」

「いいですよ、仕事ですから。え、西さん、まさか、そのことを言うためにわたしを誘ってくれたんですか」

彩子が問うと、西は「はあ、まあ」と曖昧に頷いて、ワインをのんだ。つられたように自分ものみながら、なんて真面目で誠実な人なのかと彩子は思った。愚直なくらいである。と同時に、自分に気があるかもだなんて、とんだ勘違いだったようだ。

「あの、岡崎さんは？」

と西が言った。

「え？」

「岡崎さんもさっき、何か話そうとされていましたよね」

「ああ、そうでしたね」

と言ったものの、彩子は自分が何を言おうとしていたのか、思い出せなかった。

「今日は楽しかったですねって言おうと思ったんです。同期の皆さん、仲が良いのですね」

と、その場を取り繕うように、彩子は言った。

すると西はほっこりとした笑みを浮かべ、

「厳しい工場研修をくぐり抜けた仲ですから」

と言った。

「いいなあ」

つい、そう言った。

「岡崎さんに同期は？　その、最初につとめた会社とかに」

「わたし、新卒で税理士事務所に就職したんですけど、同期とかいなくて。学校の推薦で就職したんですけど、その年に入ったの、わたしひとりだったんです」

「へえ、すごいな」

「すごくなんかないですよ。簿記二級があればいいっていうだけのことですから」

「簿記二級って、すごいじゃない。それに、学校が紹介したってことは、成績が良かったったっていうことでしょう」

屈託のない表情で西に言われて、彩子はそんなことはないと咄嗟に謙遜しかけた。しかし、実際のところ、彩子はオールAだったのだ。

「短大ですけど、学年の最優秀生徒のひとりとして、卒業式で表彰されました」

「え」

西が目を見開いた。

「それはすごい」

ため息まじりのような西の声には、心からの驚きが感じられ、彩子は誇らしい気持ちになった。そのためか、つい話していた。

「ゼミの先生からじきじきに話があったんです。先生の同級生がやっている事務所で働かないかって。条件も結構良くて、四年制のいい大学の人も事務を執っているって話だったので、そこに決めて就職しました」

これまで彩子は誰にもそんな話をしたことがなかった。菜々にすら、話したことはなかった。会社の正社員の人たちからしたら、名もない短大でのオールAなど、誇れるものではないという気がしていた。そんなことを話すのは、恥ずかしいことだと勝手に思い込んでいた。

だけど、西には話したくなった。彼があまりにも自然な笑顔で、同期を大切なものだと伝えてくれたからかもしれない。彼が、物事をまっすぐに受け入れてくれる、素直な心持ちの人物だと感じられたから。

「人を何人も使っているような、わりと大きな事務所でしたし、そこで働いたら勉強にもなるだろうと思って」

　彩子が言うと、

「税理士にはならないんですか」

　と、西に訊かれた。

「ええっ。まさか」

　彩子はとっさに否定した。「全然、全然。わたしは事務でしたし、無理です、そんなの」と何度も強く否定した。

「無理ってことはないでしょう。表彰されるような方なんだから」

「誰でも入れるような短大ですから」

　言った後で、自分の卑屈な物言いをすぐに悔やんだ。

「わたしはただ、実家に帰りたくなかったので、お給料がいいところに、早く就職したかったんです」

　話を変えるように、彩子は早口で言った。

　気にしていないふうに、

「実家は遠いんですか」

　と、西が訊いた。彩子は、

「東京に出るのに二時間近くかかります。だから短大へは電車通学してました。会社も通えないことはないいんですけど……」

と、訊かれてもいないのに、実家のある町名を告げた。それもまた、菜々にすら話していないことだった。

このままだと、実家がクリーニング屋をやっていることや、兄夫婦が後を継ぐらしいこと、実家に帰っても居場所がないことなど、訊かれてもいないことをぺらぺらと西に話してしまいそうで、彩子は口を引き締めた。

「偶然ですね」

と、西が言い、彼も自分の出身県を告げた。

偶然というが、驚くほどの偶然ではなく、彩子の出身県の隣の県名だった。おまけに西は、彩子の出身県の名産物や観光地など、常識的な情報を、あたかも自分だけが知る秘密を告げるかのように言ってきて、それを知っている自分を彩子に印象付けたいように見えた。

そんな彼の言い方に、彩子はなんだかほっとして、ちいさく笑った。彩子の笑顔を見た西も、嬉しそうに顔をほころばせた。

「ひとり暮らし組ですね」

西が言った。

「十二年になります」

「あー、同じ」

「ですよね」

短大進学と同時にひとり暮らしを始めた。といっても最初は学校のそばの女子寮で暮らし始めた。当初、彩子の親は短大を卒業したら帰ってくると考えていたようだった。しかし、教授の推薦で税理士事務所で働くことになったと伝えると、戻ってこいとは言わなかった。彩子がアパートを借りる時には保証人になってくれたし、寮住みで安く済んだからと初期費用を持ってくれた。そのことを彩子は感謝しているが、両親がこんなに聞き分け良く彩子の独立を押し出してくれたのも、兄の結婚が決まったからだろうと分かっていた。

「実家にはよく帰るんですか」

西に訊かれ、彩子はどう答えようか迷った。

正直に話しても恥じるようなことではないが、家族と不仲で不幸だと大げさに取られたくはない。実際に、不仲でも不幸でもないと、彩子は思っている。

「お盆と年末に」

短く、彩子は答えた。

これ以上、実家の話をしたくはなかった。その話をしようとすると、どうにも喉の奥に何か、飲み込み損ねたものが詰まって流せないでいるような、違和感をおぼえるのだ。不仲でも不幸でもないが、明るくさっぱりと話せるわけでもなかった。

「まあ、そうなりますよね」

西が言った。

「近いとはいえ、交通費もかかるし」

言い訳するように、彩子が言うと、

「帰ってくるように言われませんか」

と、西に訊かれた。

「そうですねえ」

彩子は曖昧にごまかした。

実際には、帰って来いとも来るなとも、何も言われない。盆暮れだけ、日にちを確認する電話が来る。定例化しているだけだ。

両親は、彩子がいなくても充実した日々を送っている。実家の敷地内に、兄夫婦が家を建て、子どもが次々に生まれたからだ。

荒れた学年もある、ヤンキーの多い公立中学だったが、兄と兄の妻は、友達の少なさを互いの存在で埋めるようなカップルだった。地味なふたりが教室の隅でひっそりと交際を続けて、大人になって静かに結婚を決めた。結婚の報告をしてきた時点で、彼女のお腹には赤ちゃんがいたが、両親はこの結婚を寿いだ。彼女の母親は彩子の母親と一緒にPTAをやった仲で、町内会のバス旅行では隣の席に座るほど仲が良い。仲の良いふたつの家族が一体化するという、狭い田舎ならではの、ぬくぬくとしたつながり方である。

経営の専門学校で二年学んだ兄は、たまにパチスロで気晴らしをするくらいで、都会に出たいという野心もなく、実家のクリーニング屋を夫婦で継ぐことにためらいもないようだ。妻のほうも、小学生の頃からどこかとろんとしたところのある女で、男や仕事でステップアップを狙うようなタイプでは全くない。あのふたりは、誰もいないところでどんな会話をするのだろう。想像もつかないが、夫婦として円満であることは確かなようだ。あの頃お腹の中にいた赤ん坊は、もう小学生になり、下にふたり妹と弟もできた。

一方彩子は東京で転職を重ね、家賃の低いアパートに引っ越した。

そう遠くもないので盆暮れに一泊だけは帰るようにしているが、兄も、兄の妻も会うたびにじわじわと体重を増やし、身ぎれいでいることや、ファッションに気を遣うことを完全に諦めているように見える。そのぶん、クリーニング屋の仕事を頑張っているようだ。両親と兄夫婦は穏やかに会話をし、子どもたちはじいじとばあばに懐いている。よく言う嫁姑問題もなさそうで、日ごとたしかな信頼関係を結びあっているようだ。

だが、その空間に彩子の居場所はない。いまいましさを感じさせないほどさりげなく、しかし着実に、ある時から、兄家族の侵食が始まったからだ。

五年ほど前からだろうか。自分の個室だった六畳間に、兄夫婦の私物が置かれ始めたのは。パン作り器、土鍋、ぶら下がり健康器、子どもの歩行器、子どもの小型ジャングルジム、卒業アルバムやら図鑑……

それらはじわじわと増えていった。

どうやら兄夫婦は自分たちの家を綺麗に保つために、使わなくなったものなどをわざわざ実家の、彩子の部屋に押し込んでいるのだ。土地が狭いせいで大きな家を建てられなかったからと、それを両親も黙認している。彩子が帰省した時だけでも、片付けようというそぶりもない。

直近の帰省時が、最もひどかった。兄夫婦が、用済みと判断したものの捨てるに捨てられないでいるそうしたものが、彩子のベッドの上にまで、うずたかく積まれていたのだ。それに対し、何の言い訳もしない兄夫婦にも、当然のように受け入れている両親にも、腹が立ったが、彩子は何も言えなかった。

結局、客間に布団を敷いて寝た。数泊する予定だったが、一泊で帰った。正月の、どこかがらんとした地元の商店街を歩きながら、涙が頬をつたっていた。

急に、昔から酷かった、と思った。両親は兄贔屓ばかりしていたのだ。

どうして気づかずにいたのだろう。兄のほうが勉強ができなかったのに塾に通わせてもらっていたし、兄が気まぐれで野球を始めた時にも母はバットやミットなど一式をうきうきと買い与えていたのだ。自分には何の習い事もさせてくれなかったのに。小学校の授業参観も、行事見学も、自分のところには兄の後に足を向けるのだ。まるで、兄のついでのように。

子どもじみた感傷だと分かっていたが、思い出せば思い出すほどに、涙が次から次へと出てきた。反抗期もなく、自己主張もしなかった自分が、今までずっと溜め込んできた感情が、溢れだしたようで、涙の中には、幼い頃の自分をかわいそうに思う気持ちもあった。

その日、ひとりのアパートの部屋で、彩子は声をあげて泣いた。

最初のアパートよりもいくらか家賃の安いこのアパートが、三十歳の自分の唯一の居場所なのだった。ユニットバスの、ひとロコンロの、猫の額よりも狭いベランダにエアコン室外機と洗濯物が並んでいる、駅徒歩十分の安アパートが。

でも、派遣の身で、この先どうなるのだろう。

失職したり、体を壊したりしたら、実家に帰るしかあるまいが、その時はあの兄夫婦の私物はどうしよう。勝手に処分してしまおうか。苛立った気持ちでそんなことを考えたりもしたが、先のことが見えず、考えると気持ちは暗くなるばかりだった。

「僕は帰るたび、オヤジと喧嘩になってしまうんですよ」

と、西が言った。

「そうなんですか」

ぼんやり答えたら、

「だからもう五年？　いや、六年になるか。帰ってない」

西が言った。

彩子は少しびっくりして西を見た。そう遠くないのに、そこまで実家を避けるとは……

「家業を継ぐように言われていたりするんですか」

クリーニング店を継いだ兄のことを思い出しながら訊くと、

「いやいや、親はサラリーマンです。そういうことじゃなくて、いろいろとソリが合わなくて。距離を置いたほうがいいって気づいてしまったんです」

「え、でも、お正月とか、どうしてるんですか」

つい訊いてから、ハッとした。詮索しすぎだ。ふつうに彼女と過ごしているのかもしれない。

そう思いついた時、彩子は少し頬を赤くした。まるで西を男として意識しているみたいだと思ったからだ。

「すみませんいろいろ訊いて」

「毎年、海外逃亡しています」

ふたりの声が重なった。

「え、海外？」

「旅に出ることにしてるんです、その時期は。数日余分に有給を取って、ギリ平日の昼便を早めに買って。もちろんＬＣＣで。案外安く買えますよ、アジアなんかは特に」

すらすらと説明されたが、彩子はすぐにはちゃんと理解できなかった。

いや、言っていることは分かるが、あまりに発想が飛躍して感じられた。彩子の生活の中で、海外旅行という発想はなかった。短大生の時に一度だけツアーで香港旅行をしたきり、パスポートの更新もしていない。そもそも旅行という趣味がなかった。

「ひとりでですか」

詮索しすぎだとはもう思わなかった。ただ単に知りたかった。この人の年越しの仕方を。自分の知らない世界を。

西が当然のことのように「もちろん」と言った時、

「いいな。わたしも行きたい」

くちびるからふわりと言葉がこぼれ、彩子は自分がたった一杯の安ワインでひどく酔っていると思った。

「どこに行きたいですか」

西も酔っているかもしれない。そんなことを訊いてくる。

「どこかなあ」

ハワイ……NY……パリ……

いつか何かで見ただけの、夢のような地名が、頭をゆらりと巡ってゆく。

仕事のことも貯金額のこともこの先のことも、現実の何もかもが頭から遠ざかっていく気がする。行こうと思えば、自分はどこにでも行けるんだ。

これまで知らなかった勇ましい気持ちに任せるまま、彩子は新しい杯を重ねた。

After……

三芳菜々

首元をすり抜ける風に、菜々はちいさく首を竦めた。暖冬と言われているが、今日は寒い。少し前まで夏めいた空気が残っていたのに、秋を飛びこして、あっという間に冬がきてしまった……と思ったら、「冬なんだな」と、隣を歩く拓也が言った。

「うん。冬だね」

一緒に暮らしているからだろうか、拓也とはこんなふうに、思考がたびたび重なる。

以前も同じようなことがあったなと、思い出す。あれは初夏で、菜々はまだ妊娠中だった。会社の帰りになんとなく思いついてコンビニでアイスを買って帰ったら、まったく同じ日に、拓也もその年初めてのアイスを買って帰ってきた。選んだアイスはさすがに別のものだったが、ふたりはその偶然を喜んだ。

あの頃の拓也は、自分のアイスだけでなく、わたしのぶんも買ってきてくれたなと、菜々は思い出す。

ふたりは今、友人の家に行くために、初めての街の知らない道を歩いている。菜々がコトコトと押しているベビーカーの中には、息子の樹が眠っている。この名前は、まっすぐに伸びていってほしいという思いを込めて、拓也がつけた。

ベビーカーにはフードをかぶせているから、押している菜々の位置から息子、樹の様子はうかがえない。うかがえないということはつまり、静かに眠っているということだ。なにせ、起きている限り、この子は暴れ続けるのだから。背をのけ反らせて泣き喚き、手足をばたつかせ、ベビーカーから降りようと騒ぐ。二歳になる前から、樹が同年齢の他の子たちよりもだいぶ腕白だということを、菜々は実感していた。三歳手前の今、彼が寝入った時間こそが、ひとときの平和である。

「樹、ぐっすりだね。疲れたんだろうね」

菜々が言うと、

「あれだけ暴れてやがったからな。ほんと大変だったよなあ」

と、拓也が苦笑いした。菜々は黙っていた。

しばらく歩いてから、

「あ」

と、ちょうどふたりが同時につぶやいた。広い通りのケヤキ並木に一斉にイルミネーションが灯った瞬間だった。

しかしそのイルミネーションを見て、

「なんでこうした」

拓也は笑った。菜々も同じものを見て笑った。

市街地を彩るそれは、ロマンティックなムードではなく、赤や黄や緑や、なぜか紫色など、一本ずつ色が異なっていて、全体がどこかちぐはぐでユーモラスなムードなのだった。

「商店街の人のセンスかな？」

菜々が言うと、

「この街には住みたくないな」

拓也が言い、菜々は「言い過ぎ」と笑った。

拓也と一緒に笑うのは、久しぶりのことだった。

こんなことでうれしくなってしまうわたしは、甘っちょろいなと、菜々は思った。冬の始まりの張りつめたように鋭い風が菜々の服にふきつけている。


三年前、菜々は樹を出産し、それから一年間育児休暇をとった。保育園が決まり、ようやく社会復帰しようと思っていた矢先、世界はかつて体験したことのない混沌へと堕ちて行くことになった。全世界に感染力の強い新型肺炎が蔓延(まんえん)したのだ。

テレビやネットの中で、日々増えてゆく感染者数を見つめながら、菜々はマンションの一室で樹の世話をし続けた。

あの頃、ひたすらその未知のウイルスが怖かった。自分がそれほど繊細なタイプだと思ったことはなかったが、人生で初めてと思うほど、異様に感染対策に気をつけて、いつもはらはらしながら過ごした。アルコールでドアノブやテーブルを消毒し、買い出しに行く時は他人と接触しないように細心の注意を払った。拓也が仕事や会食から帰宅するたび、ウイルスを持ち込んでしまうのではないかとはらはらした。

そうこうしているうちに、感染症への恐れは全国に広がり、会社から飲食を伴う集まりを禁止する通達が出た。出勤も交代制になり、拓也は時おり家で仕事をするようになった。テレビをつければ必ず新型肺炎に関する恐ろしいニュースが流れていた。薬局からマスクとアルコール消毒液が消えたのもあの頃だ。毎日が怖かった。食料品の買い出しに行く時は、なけなしのマスクを二重にし、ナイロン手袋をするなどして対策をした。

政府は次々に感染症への対策措置を講じた。旅行や外食が制限されるだけでなく、樹を預ける予定だった公営保育園も休園になった。利用者や地域からの強い要望で保育再開した矢先に、園内に感染者が出た。詳しい情報は公開されなかったが、どうやら園児からのルートでクラスターが起こっているとTwitter上で噂がたった。事態は重く見られ、ふたたび休園になった。樹の預け先はどこにも見つからなかった。

人事部にその旨連絡し、いくつかの事務手続きを経て、育児休暇を引き延ばすことができたのは幸いだった。それでなくとも、あの頃の自分は、とても働ける精神状態ではなかったと思う。マスクの残り枚数を数えて泣いたりしていたのだから。

そう。会社から支給された分を入れても、マスクがあとひと月ともたないと思うと怖くて怖くて、菜々は本当に涙を流したのだ。どこの店にもマスクが出回るようになった今となっては笑い話のようだが、あの時菜々は、夜な夜な購買経路を求めてネットの中をさまよい、百枚で一万円以上する中国製のマスクが「残りひと箱」となっているのを見て、慌てて購入ボタンを押してしまったりした。あんなばかげた出費をしておいて、「最後のひと箱を買えてラッキーだった」と思ったのである。

しばらくののち、保育園の受け入れ態勢が整ったことにより、菜々はようやく仕事に復帰した。といっても出社はせず、将来の子ども部屋として空けてあるひと部屋に簡単なデスクと椅子をおいてパソコンに向かうテレワークだ。拓也のテレワーク用に作った空間だったが、樹を保育園に預けられるようになったため、拓也がリビングでテレワークをすると言ったからだ。

こうしてオンラインで懐かしい仲間につながったが、すぐに、会社全体が大きな混乱に陥っているという現状が分かった。

そもそも社員の多くがテレワークをするという状況は、創業以来、初めてのことだった。新しい管理システムを構築することに、会社中が頭を悩ませていた。家で仕事をしなければいけなくなったというのに、セキュリティへの配慮から、仕事の情報の持ち出しが制限されていた。そのため、緊急事態宣言発出後も、忘れ物の引き取りといった業務外の個人的な事由というかたちをとって会社に赴き、「業務外の個人的な事由」のついでに仕事をしていく社員もいた。会社側もそれを黙認するという、ひどく曖昧な状況が続いた。リビングに仕事部屋を移した拓也も、以前からそんなふうにして、ちょくちょく出社していた。電車もオフィス街もがらがらに空いているから快適だと言っていた。

しかし菜々は、そんな拓也の働き方に対し、ひどくストレスを募らせていた。

よく気楽に外に出られるなと思った。いくら空いているといっても、電車に乗っているのである。見ず知らずの他人と接しているのである。万が一、新型肺炎ウィルスを家に持ち込んだらどうなるというのだろう。

毎日の報道で、そのウィルスの恐ろしさをさんざん聞かされていた。菜々は日常の買い物も気をつけているのに、拓也はまるで他人事のような図太さだ。出社停止にしてくれない会社の中途半端さにも腹が立った。

そんな中でテレワークを続けていたが、復職して三か月もたたないうちに異動の辞令が出た。行き先は、カスタマーサポートセンターだった。

妥当な異動だと、菜々自身は受けとめた。管理部に戻った当初は、オンライン会議で久しぶりに顔を合わせた社員たちの事務作業の補佐をしていたが、彼ら自身が苦もなくできる仕事を分けてもらっているような状態で、居場所がなかったからだ。

こうして異動後の、菜々の新しい仕事は、顧客による「お気づきの点」を集めるというものになった。直接の電話受けは、契約職員たちの仕事であって、菜々は、あがってきたもののうち、重要な「お気づきの点」をピックアップし全体の傾向をリポートする、総合管理の仕事が求められた。しかし、そればかりでなく、契約職員の手に負えなかった「お気づきの点」を、正社員として受けつける仕事も任された。社会全体にストレスがたまっているのだろうか。自宅で過ごす人間が増え、電話をかけやすくなっていたのだろうか。以前よりも、カスタマーサポートセンターにかかってくるクレームの電話の数が増えた。嫌味を言い続ける人、同じ話をループし続ける人、突然怒鳴り出す人、巧妙にセクハラ発言をする人。電話の音声は録音されていると事前にアナウンスしているにもかかわらず、非常識な電話はあとを絶たず、契約職員たちが音(ね)を上げた酷い内容のものを、菜々は毎日受けているのだ。

夕方までそうした電話を受け、それから急いで保育園の迎えに行き、感染に気を付けながら日常の買い物をして、帰宅すると樹の世話をしながら家事をした。樹を寝かしつけてから、パソコンに戻り、その日の報告書を作成して提出する。

菜々の体には疲労がたまっていた。

自治体から新型肺炎予防のワクチン接種の案内が来た頃から、世の中の感染状況が少しずつ好転していったように思う。

会社に出勤する日は、週二から、週三へ増え、最終的には週四日となって今に至っている。

これは菜々にとって、ありがたくもあり、少し疲労を感じる変化だった。自宅で働いている時は、ヘビーなクレーム電話が転送されてくると、日常をおかされるような気がして気分が落ち込んだ。感染する可能性を考えると、常に不安はあったが、それでも家という日常から離れることで、頭も心も切り替わるのを感じた。新型肺炎が始まったばかりの頃はあんなに気を遣っていた拓也が、それでもちょくちょく出社したがった理由も分かった。

とはいえ、電車に乗って出勤するのは身体的に疲れる。以前はここまで疲れなかったと思うのだが、育休と新型肺炎による自粛で家にいる時間が長かった分、体から現場感が薄れたというか、ビル街を歩くだけで疲れるのだ。出産で肉体が変化したともいえるが、それよりも、樹の世話で普段から疲労が蓄積しているのを感じる。生え際に白髪がちらほらと見えてくるようになった。ついぷちぷちと抜いてしまう。目の下のくまも目立つ。しかし、ずっとノーメイクで過ごしていたからか、マスクで隠せない顔半分にファンデーションを塗るのすら面倒くさい。

とはいえ、変わりつつある世の中に順応していかなければならない。ワクチン接種が効いたのか、感染者数は大きく減っている。世の中がようやく落ち着きを取り戻し、外向的なムードになってきた。周りを見ていると、コールセンターの契約職員たちは連れ立ってランチに出かけたり、仲の良いグループで一緒に弁当を食べていたりする。感染症騒動はゆるやかに終焉を迎えている。

そんな週末のある日、彩子から、ラインをもらったのだった。

彩子は、菜々の育児休暇中に転職してしまっていたから、久しぶりの連絡だった。

嬉しかったが、新居に遊びに来ないかと訊かれ、菜々は、え、もうそんな感じ？　と思った。

自粛も解け、行楽地が少しずつにぎわいを取り戻しているらしいとはいえ、いちおうは感染者数も報道されている中で、個人宅に遊びに行っていいのか。

そう思ったのだが、次にきたメッセージを読んで考えが吹っ飛んだ。

——今、菜々さんの同期の西さんと一緒に住んでいるんです。

「うっそ」

と、菜々はちいさく呟いた。

その場で拓也に伝えると、彼も全く知らなかったようで「嘘だろっ」と驚いていた。

「え、じゃあ、あの時うちに来てくれた子と西が付き合ってるってこと？」

「そうみたい」

「いつからだよ」

菜々は嬉しく思ったが、
と訊く拓也の言い方に、若干の笑いと侮りを感じて、この話をすぐに伝えてよかったのかと一瞬悔やむ。

「いつからかは分からないけど……」

一緒に住んでいるということは、それなりに付き合いが長いのではないか。そして、ふたりの出会いは、それはやっぱり自分たちの家に同期の皆を招いた三年前のあの夜ではなかったかと思う。

西といえば、同期の中でもっともつかみどころがないというのが菜々の印象だ。皆で集まっている時に、無駄に大声を出したりもしないし、場つなぎのおしゃべりをしようともしない。人間全般に対してあまり興味のないタイプに思える。最初の頃は、坂東や拓也にいじられたり、からかわれたりしている時もあったが、本人が意に介さず飄々（ひょうひょう）としているものだから、すぐに皆から飽きられていた。その様子を見て、大人な人だなと、菜々は思った。集まりがあれば参加してくれるし、ライングループでもたまに面白いスタンプを押してきたりするから、人間嫌いというわけでもないのだろう。だが、女性と付き合っているというイメージを描きにくかった。

「彩子ちゃん、知らないうちにうちの会社辞めちゃってたから、それから連絡取ってなかったんだよね」

菜々が言うと、

「もしかして、彼女、西と結婚する気で辞めたのかな」

と、拓也が言った。

そうかもしれない。詳しい事情を全く聞いていない。急に好奇心がふくらんできた。

彩子に会いたくなった。というか、西といる彩子の今を、見たくなった。

——全然知らなかった。びっくりしたよ。いろいろ聞きたい！　遊びに行きたい！

すると、

——この先どうなるのか分からないので、方向性がはっきりするまで同期の皆さんにはまだ秘密にしておいてください。

急にかしこまった口ぶりの返信が来た。

え、秘密なのか。菜々はこのもったいぶった言い回しにちいさく感動した。

考えてみるまでもなく、「方向性」とは、結婚するかどうかということだろう。ふたりの「方向性」を良いところに導くべき役割を求められているのかもしれない。そんなことを考えたら、急に、友達の恋バナに浮きたった気持ちがしゅうっとしぼんだ。

拓也と自分がどんな夫婦であるかを、彩子は何も知らない。そのことに責任のようなものを感じていた。

「それ、俺も行くわ」

拓也がひょいと顔をのぞかせて、当たり前のように言った。

「え」

「西に訊いてみるわ」

拓也が気楽に言う。

「待って。いちおうわたしから彩子ちゃんに言うから。勝手に話したって思われたくないし」

彩子は慌てて言いながら、スマホを伏せた。夫婦とはいえ、のぞき見されるのは嫌だった。

「それはそうだな。じゃ、お願い」

拓也は行く気まんまんのようで、自分の家に人を呼ぶのはあんなに嫌がったくせに人の家には行きたがるのだな、と菜々は思った。

西と彩子の新居は、菜々の自宅から遠かった。電車二本、計五十分ほど乗る。新型肺炎が蔓延して以来、子連れの外出をできる限り避けていた菜々と拓也にとって、これほどの遠出は初めてだった。

地下鉄の車内で、案の定、樹はぐずり出し、最終的には身をのけぞらせて悲鳴をあげるようにして泣いた。

「案の定」と思っていたのは菜々だけで、拓也は機嫌を損ねた樹がこんなふうに騒ぎ続けるとは思っていなかったようである。最初こそ交代であやしていたが、彼の我慢の限界は割と早くに訪れた。機嫌を損ねた樹が根気強く泣き続けたからだ。

そこそこゆとりのある車内だったが、空席はなかった。「いっくん、つかれた！　すわりたい！」と樹は喚く。ベビーカーはあるのに、そこではなく、電車の座席に座りたいというのだ。たまりかねた男性が席を立って遠くへ歩いて行ったので、菜々は後ろから頭を下げ、樹の靴を脱がせて座らせる。

しかし、席に座ることができたというのに樹はすぐに「やーだ」と言って今度は立ちたがる。完全に意味不明な行動だが、これが子どもというものだ。樹が久しぶりの外出にナーバスになり、かつ、ここまでの道のりで疲れてきてもう眠たいのだろうということが、菜々には分かった。

しかし拓也は、子どもの意味不明な行動が我慢できないようだった。座りたいといえば立ち、立った席に拓也が座れば、座りたいと騒ぐ。その繰り返しに、「勝手にしろっ」と拓也は言い捨て、席を離れて、ドアのほうに行ってしまう。父親のこの態度に樹は泣き、追いかけようとして靴下のまま席を立った。菜々は慌てて、樹に靴を履かせる。そうこうしているうちに駅につき、樹が座っていたその席に乗ってきた人が座ってしまう。

こうなるともう座る席はなく、眠りたい樹をベビーカーに座らせるしかない。しかし、言われるままに戻る樹でもない。菜々が抱きかかえると、ベビーカーにだけは戻るまいとばかりに両手を振りまわし、汗だくになって泣き喚き、あげく床に手をつきそうになったので、「ばっちいよ、ばっちいよ」と菜々が抱き上げるしかなかった。

この様子を拓也はしばらく無視していたが、菜々があまりに困り果てているのを見て、途中でまた抱っこを代わってくれた。しかしそれも数分ともたずにまた戻してくる……菜々の番三分……拓也の番三十秒……くらいのあんばいで世話を交代した。菜々はへとへとである。

子どもができたとたん、ちょっとした外出がこんなにも苦労を伴うものになるのだと、菜々も知らなかった。いや、知ってはいたのだが、理解していなかったのだ。

電車の中で樹が泣き出した時、自分も泣きたいような思いではらはらしながら樹をあやしながら、その反面、心の中で、こういうことだったんだなあと菜々は冷静に自分たちを見てもいた。周りの乗客は全員、無反応だ。樹がこれだけの大声で泣き喚いているというのに、聞こえていないような顔だ。

——こういうことだったんだなあ……

菜々は思う。

子どもを産む前、公共の場で泣き喚く乳幼児と遭遇したことが何度かあった。そのたび菜々は、泣き声の発信源を見ないようにした。

乳幼児が泣くのは仕方のないことだと理解している。親は大変なんだろうとも思う。だから無反応を貫いたのだ。

無反応。あの頃はそれを最大の思いやりだと信じていたが、発信源を見なかったのはつまり心の中で、うるさいな、と思っていたからではなかったか。どうしてもいらいらしてしまうから、そんな自分を封じ込めるために、非難がましい目を向けないように努力した。

そして今、あの時の自分の感情を、逆の立場で見つめている。

無反応を貫いている他の乗客たちが、その仮面の下で「うるさいな」と思っていることが、びしばし伝わってくるのだ。

本当に子どもが好きだったなら、よその子が泣こうが、我が子が泣こうが、広い心持ちで見守っていられるんだろう。自分が子どもを抱える立場になった時、ただ乗り合わせただけの赤の他人に対して、こんなにすまなく、心苦しく感じてしまうのは、裏返してみれば、自分がかつて、子どもに対して苛立つ人間だったからだ。どうしてこの時間に、あんな小さい子を連れて来なければならないのだろうと思われているだろうなあと思ってしまう。だって、自分はそう思ったのだから。

ああ、わたしみたいな人間が、この国を子どもを育てにくい場所にしてしまっているのかもしれないなあ。

だが、今更そんなことを考えても始まらない。とにかく、この時間をやり過ごさなければならないのだ。

そう思って、菜々は必死に樹をあやし続けた。

そんな菜々の横で、拓也はずっとふくれっ面をしていた。

すでに、いやというほど分かっていた。拓也は、自分の機嫌を自分で取れない人間なのだ。それどころか、自分の不機嫌で人を委縮させ、あやつろうとさえするのだ。まるでだだっこみたいに。

拓也は、こんなはずじゃなかったと感じているのだろう。ふだん子育てをつまみ食いしているだけなものだから、公共交通機関に長時間乗ってみて初めて、我が子を静かにさせることが、本当にどうしようもないほど大変だと知ったのだ。

西と彩子のアパートについた今も、拓也の不機嫌は続いている。

「なんなんだよ、このクソみたいな階段」

と、吐き捨てるように言う。

「あいつらだって今後子どもができるかもしれないいんだから、住むとこ少しは選んだらいいんだよ。階段しかないとか、ありえないだろ。何考えてんだよ」

と、まだ不満を言い続ける拓也に、ついに我慢しきれなくなった。菜々は立ち止まり、

「じゃあ、帰る?」

と、訊いた。

「は?」

何言ってんのという顔をこちらに向ける拓也に、

「拓也だけ帰ってもいいわよ」

と、菜々は言った。心がしんと冷えていた。菜々の冷たい表情を見て、ようやく拓也は黙った。

菜々はそこから少し上がって、西の家のチャイムを押した。

久しぶりに会った彩子から、花のような香りがすることにはっとした。

うすい桃色のカーディガン姿だから、よけいにそう思ったのかもしれない。リップしかつけていないように思えるほど薄化粧の彼女の姿は可憐で、近づくといい香りがした。

「遠かったでしょう。来てくれてありがとう」

かけてくれる声も、甘く優しく聞こえた。

そんな幸せオーラの彩子のせいか、目にしたものすべてにピンクの靄がかかっているように、かわいらしく見えた。ふたりの住む部屋は小さくて、あちこちにあふれる雑貨のせいで、ごちゃごちゃとして見えたが、そうした生活感が、いい感じなのだった。窓際のラックにはジャケットやコートがずらりと吊られ、その足元には何が入っているのか分からないが木製の籠や紙箱が積み重ねられている。テレビ台の周りもそんな感じだ。中央にちいさな炬燵(こたつ)がある。ちいさいと感じるのは、四人の大人がいるからで、ふたり暮らしならば程よい大きさかもしれない。座ってみると、ほっこりとして気持ちが落ち着いた。

ああ、いいな。そう思った後で、拓也はこういうごちゃごちゃとした感じが、苦手なんだろうなと菜々は思う。

換気のために窓が少し開いていたが、暖房がよく効き、炬燵と床の保温マットのせいか、寒くはなかった。ぐっすり寝ている樹は、ベビーカーごと玄関に居てもらう。廊下がないので玄関も暖かいままで、炬燵から様子が見えるのは安心だ。

念のためマスクお茶会で、ということになっていた。

彩子があたたかいほうじ茶を淹れてくれて、それぞれの小皿には菜々たちの手土産のフィナンシェと、彩子が用意してくれた抹茶羊羹(ようかん)がそえられた。飲んだり食べたりする時だけマスクを外し、会話する時はつける。そもそもそれほど広くない部屋でこんなふうに密になっているので、ちょっとマスクをすることに拘ったところで意味があるのか分からなかったが、形だけでもやっておくという感じだ。

彩子は現在、午前中だけカフェで働いていて、午後は自由に過ごしているそうだ。

「へえ。カフェなんて、素敵だね」

菜々は言った。

「覚えることが沢山あって、大変。大学生のアルバイトの子にいろいろ教わったりしてるの」

彩子が軽やかに言う。なんだか生き生きとして見える。

「彩子ちゃん、なんだか少し、感じが変わったね」

菜々が言った。

「そうかな?」

彩子はちいさく首をかしげて、西を見る。西が彩子に微笑み返している。

派遣とはいえフルタイムの事務職で働いていた彩子が、カフェでの立ち仕事に鞍替えしたのは意外だったが、若い子にまじって体を動かして働くことで、はつらつとした気を得ているのなら羨ましい。西との結婚準備を進めるために時間に余裕をもった働き方をしているのかもしれない。

なんだか、眩しくなる。

西と拓也が羊羹から始める中、彩子はまっさきにフィナンシェを食べてくれて、

「こんなの作れるんだね。菜々さんて、やっぱりすごすぎる」

ちゃんとマスクをつけてから、そう言った。ふだん、何の感想も言ってくれない拓也に慣れて

いたから、作った食べ物を褒めてもらえると、心が弾む。

「これねえ、意外に簡単なんだけど、作ってみるとカロリーの高さにドン引きするよ」

「それ聞くと怖いけど、美味しすぎて止められない。西くんも食べてみて」

彩子が西に言う。ひと口食べた西が「美味しい」と頷く。「ね、美味しいよね」彩子が嬉しそうに返す。

「なんか、すごいな。見せつけられてるな」

拓也がからかうと、彩子が照れる。西も困ったような顔をする。

「菜々ちゃんからふたりのことを聞いて、びっくりしましたよ。西くん、僕たちにも秘密にしていたんだな、西くん」

と、拓也は軽く「西くん」いじりをしてから、

「同期には黙っていてっていうことなので、まだ誰にも言ってないけど、まさか、ここがくっついていたなんて驚くなあ」

と、拓也が西と彩子を交互に指して感心したように頷いて見せた。

こういう会話を聞きながら、菜々は改めて感心する。拓也は、坂東にはラフに話しかけるが、西には少し丁寧な口のきき方をする。一目置いているというよりは、変わり者として面白がっているようにも見えるが、坂東が研修中に他愛もないことで西をいじったりしていた時に、やりすぎな感じになるとやんわり話を変えたりして適当なあんばいでおさめようとしていたのも拓也だった。そういうところが、菜々は好きだった。人間関係のバランスを取るのがうまいのだと思う。ふたりきりでいる時よりも、他の人を交えたほうが、拓也のこうした面を客観的に見ることがで

きる。

「えーと、いつからなんですか。ふたりは」

拓也は今度は彩子に訊く。

「一年くらい前かな」

と、少し上気した顔で彩子が答えた。

「え、そんなに長く……」

「この時期に同棲始めるとか、なかなかチャレンジャーだなあ」

感心したように拓也が言うと、

「この時期だからだよ」

と、横から西が言った。

彩子が、そうだよね、というふうに西の顔を見て頷く。

「自粛、自粛で、かえって同棲カップル増えてるのかもな。外で遊べないもんなあ」

拓也が言うと、彩子が一瞬眉をひそめ、納得のいかないような顔をした。

あれ？　と思って菜々は彩子を注視したが、彼女はすぐに口角を上げ、さっきの表情を消した。

「ちょっと前まで、大変でしたもんね」

と、拓也が、もうその時期は終わったとばかりに気楽な口ぶりで言った。

「ほんとですよね～」

さっき一瞬見せた不快な表情を見事に消し去り、彩子は朗らかに応じている。

「今もまだ感染者は出ているけどね」と、菜々はどうしてもその突っ込みを入れたくなった。かなり下火になったとはいえ、まだニュースでは地味に感染者数の動向を報じ続けているのだ。

拓也はそれを受け流し、

「いっそこのまま結婚しちゃえばいいのに。しないの？」

と、西と彩子に踏み込んだ質問をした。ふたりが顔を見合わせる。ちょっと照れてそうねえ、どうだろうねえ、というふうにもごもご言いあうふたりは可愛らしかったが、

「まあ、今急いで動いても、結婚式も挙げにくいもんね」

と、菜々は助け船をだした。

「もう大丈夫だろ。さすがに。俺は行くよ」

まだけしかける拓也に、菜々はもやもやした。

「菜々は心配性なんだよ。自粛期間中なんて、ちょっと異常だったもんな。あの頃の俺なんか、菜々から逃げるために会社に行ってたと言っても過言じゃない」

拓也の言葉に、は？　と、声に出さずに菜々はくちびるのかたちを丸くした。

「帰ってくると菜々ちゃん、毎晩『消毒しなさい！』ってすごい形相で迫ってきてさ。やばかったまじで。まあ、俺のことを心配してくれるからだろうけどさ」

と、最後はのろけて話をまとめた拓也に、彩子と西がほっとしたようにちいさく笑った。

しかし菜々は笑わなかった。そのまま何も言わなかった。そのせいで、空気が少しこわばるのを感じたが、それでも菜々は黙っていた。

「あ、そうだ」彩子が言った。「今日、ふたりに来てもらいたかったのは、お礼を言いたかったからなんですっ」

「お礼？」

拓也が訊ねると、西が頷いて、

「改まってこういうのもちょっとあれだけど、でもやっぱり、ふたりのお陰で彩ちゃんに出会えたっていうのがあるので、そこは」

「うん、そこは」

「僕ら、しれっと付き合って、一緒に住んじゃってるけど、ふたりに出会わせてもらったわけだから、そういうのは報告しないとねって話していて」

「うん」

にこにことそんなふうに話すふたりに、菜々はちょっと感動した。

「僕は彩子ちゃんに出会わせてくれたことに、感謝しかないんで」

と、西がきっぱり言った。

ふたりの表情は明るく、息がぴったりだ。この先どうなるのかも含めて、互いを信じている、そんな健やかさがまぶしかった。

菜々は、なんだか突きつけられた気がした。自分たちがもうこんなふうではない、こんなふうには二度となれないことを。

さっき夫の言葉にどうしても笑えなかった自分を思い出す。

——俺なんか、菜々から逃げるために会社に行ってたと言っても過言じゃない。

夫婦間がうまくいってれば、ちょっとした軽口に過ぎないのだ。夫がからかい、ひどーい、と妻が笑って言い返せばいいくらいの。

だけど菜々は笑えなかった。全く笑えなかった。

それどころか、いっきに不愉快な気分になり、いらいらした。拓也がのろけて話をまとめようとしても、全く嬉しくなくて、この感情……。つまり、もうだめなのかなと、菜々は自分の心の中を、静かに見つめた。

「いや、ほんとに感謝してください。あの時、大変だったもんな、俺たち」

隣で拓也はそんなことを言っている。

俺たち？

ここにも菜々はひっかかる。

「菜々ちゃん妊娠中だったから大丈夫かなって思ってたけど、そっかー、ああいうのがきっかけで人って出会ったりするんだもんな。それ思うと、俺たちも無理してホムパやったかいあったってもんですよ」

「ほんとありがとうございました」

彩子もにっこり笑顔で礼を言う。

「彩子さん、西くんは当たりですよ。同期の中でも一番真面目で、ずっと彼女いなかったもんな。仕事もできるし、イケメンだし、いいやつだから安心」

拓也が言い、西が「やめてくれー」と照れる。

菜々は早く帰りたかった。

そろそろかな、と玄関を気遣うふりをした。電車の中でさんざん騒いで疲れたからか、樹はまだ起きない。寝すぎだ。これで今夜は遅くまで目が冴えてしまうだろう。菜々はほうじ茶をひと口飲む。彩子が出してくれた抹茶の羊羹は美味しかった。ほうじ茶の渋みと合っていた。アパートの三階のこの空間は、インテリアが整っているわけでも、すっきり片付いているわけでもないが、昼下がりの光が差し込み、ぽかぽかとしていて、幸せな部屋だなと菜々は思った。

「菜々さん?」

彩子に声をかけられて、菜々ははっとした。ぼんやりして見えたかもしれない。

「菜々ちゃんはちょっと疲れてるんだよな。ここ来るまでにあいつが暴れん坊過ぎてさ」

と、拓也が玄関のほうのベビーカーを顎で指す。

タイミングを合わせたように玄関のベビーカーで寝ていた樹がうめき声をあげた。

「お。噂をすれば、暴れん坊が目を覚ましたな」

拓也が言う。

菜々はほっとして、立ち上がり、樹の様子を見に行った。

行きの道中に比べ、帰りはずいぶん楽だった。お腹をすかした樹は用意しておいた幼児向けの煎餅を数枚ぼりぼりとものすごい勢いで食べて紙パック入りのジュースをごくごくごくと猛烈な勢いで飲み干した。

当然ながら、こうした「非常用食物」を用意しておいたのは菜々だ。いつもながら、菜々のリュックから魔法のように出てくる煎餅やジュースを、拓也は当たり前のように見ているだけである。

お腹が満たされた樹は、電車の中では静かにスマホで動画を見てくれていた。音無しでも子どもを引き付けられる動画をリストにまとめているのももちろん菜々だ。樹はそれを静かに見ている。

さっきから拓也は嬉しそうだ。西と彩子をくっつけたのが自分たちだということが、大変誇らしいようである。他の同期にはまだ秘密でと言われたのも、信頼されている気がして嬉しいのだろう。あのふたりはお似合いだ、人の出会いってこういう偶然が始まりだよな、などと、さっきから感慨深げに話している。口ぶりは優しげで、その会話だけ切り取って聞くと、友達思いの穏やかな人に見えるだろう。

上機嫌な拓也に対し、しかし菜々の気持ちは沈み続けていた。

途中でその様子に気づき、

「どうしたの？　元気ないな」

と、拓也が言う。

「平気」

「平気じゃないだろ。明らかに不機嫌じゃん」

不機嫌？

そう言われて、菜々は夫の顔をまじまじと見てしまう。

「なんだよ。感じ悪いな」

と、拓也に言われ、ほら、と菜々は思った。

この人は、不機嫌をすぐに自分のものにしてしまう。

「わたしが不機嫌になることすら許してくれないいんだよね」

「何だよ、それ」

拓也が言った。

「もういい。ちょっと寝る」

菜々はそう言い、目をつむる。隣で拓也がぶつぶつと不満を言っている。菜々が応じないでいると、彼はようやくスマホでゲームをやり始めた。

こんなに気持ちが沈んでいるのは、さっき西と彩子を見てしまったせいだと思った。お互いを信頼し合っていることがはっきり分かる穏やかなふたりを見た後で、どうしてもこの苛立ちを止められなくなった。

全く眠くなかった。揺れ続ける電車の中で、これまで拓也にいわれた様々な言葉が、菜々の耳元をねぶっていた。

たとえば初めて親子三人でファミレスに行ったあの日――。樹が一歳になったばかりの週末のことだ。

思い出しただけで、つむっている目の奥に、涙が込み上げてきてしまう。

あの日、ランチを外で食べようと、言い出したのは拓也だった。菜々も明るく応じた。マンションのそばにファミリーレストランができたのだ。新しい店舗は明るく清潔に見えた。ベビーカーを置ける場所や授乳室など、子連れフレンドリーな店だという情報は事前に得ていた。樹の外食デビューにぴったりの場所ではないかと夫婦は話していた。

だがその日、店の入り口はいつも以上に混んでいた。来客シートに名前を書き、待合スペースで順番を待つことにした。

その時点で引き返して、別の店を探すか、何か簡単な買い物をして家で作ればよかった気もする。だが、せっかくここまで来たのだから、と思った。前に数組しか名前がなかったこともあり、もう少し待ってみようと決めたのだ。

しかし、いくら待っても順番が回ってこなかった。途中で拓也がトイレを借りると言い、店内に入って行った。そして戻ってくるなり、

「やばいよ、この店」

と言った。

拓也によると、店内は空席だらけだが、食べた後の皿がそのまま放置されているそうだ。店員がほとんどいない、と言う。新店舗ゆえにシフトの調整がうまく行っていないのか、もしくはアルバイトの子が急に休んだりしたのだろうか……などと菜々が思いめぐらせていると、拓也がいきなり立ち上がった。

「出よう」

と、拓也は言った。

菜々は戸惑った。このレストランは授乳室もあるから、いざという時はそこで授乳させようなどと算段していた矢先だった。

「無理だろ。これ、もう。明らかに人手が足りてないから」

周りで待っている人たちに聞かせるような、はっきりとした口調で言った。

とりあえず店の外に出ようと菜々は思った。

「わたしたち、早めに出てよかったよ。あのまま待ってたら、夕方になっちゃう」

と、菜々は拓也の機嫌を取るような言い方をした。タイミング良く樹がベビーカーの中で寝ているのだし、待合スペースに座れているのだから、このままもう少し待ってみてもいいと思ったのだが、拓也をこれ以上ぴりぴりさせたくなかった。

「どうしよっか。マックで買ってく？　それとも、何か買ってってってうちでサンドイッチでも作ろうか？」

帰り道で、努めて明るい声で菜々が問いかけると、

「出がけに、あんなに時間かけるからだよ」

苛立った声で拓也が言った。

「え？」

まさか、と、やはり、が交錯した。

まさかわたしが責められるとは。やはりわたしが責められるのか。

「俺が言った時にすぐ出てれば入れたのに。ああいうところでぐずぐずするの、ほんとやめようよこれからは」

たしなめるように、拓也は言った。しかし菜々にも言い分がある。

「樹のおむつとか、念のためのミルクとかも、一応は用意しておかないとならなかったし」

「いやそれ言って一、二分程度じゃん。俺、見てたけど、菜々、自分の支度に五分以上はかけてたよ。スマホだって探してたし、トイレにも行ってただろ。いつものことだし、予想はついたんだけどさ、なんか、嫌な予感がしたんだよな。週末はどこも混むし」

スマホはすぐに見つかったし、トイレだってそんなにかかっていない。そう言いたかったが、

これ以上もめたくなくて菜々は黙った。

「ていうか、だいたいさー、樹の準備が—言うんだったら、普段からお出かけ用のセットをひとつにまとめてすぐに出られるようにしておくとか、創意工夫が必要なんじゃないの。まあ、菜々ちゃんにだけ言ってもだめか。それは俺にとっても課題っていうか、樹の支度なんだから父親も手伝えって話にはなるよな」

拓也はそう言い、小さく笑う。

菜々はすでに学習していた。菜々が黙っていると、拓也は次第に自分を取り戻し、なんとなく気持ちがおさまって機嫌が戻る。そのパターンに慣れた。それに、何を言っても拓也には巧みに言い返される。それも菜々は学んだ。

だが、言いたいことをのみこんで、夫の不機嫌の行く末をやり過ごすことで、菜々の心の中に少しずつ蓄積されるものは、たしかにあった。それが自分の心を内側から静かに蝕(むしば)んでいることにも、気づいていた。

そういえば、もうひとつ思い出したことがある。

育児休暇中の、あれもまだ新型肺炎が蔓延する前だったか。菜々が拓也宛ての宅配を受け取り損ねたことがあった。荷物が何だったかは忘れてしまったが、拓也がネットで買った事務用品で、特に急ぎのものでも、保存できない品物でもなかったはずだ。

仕事から帰ってきた拓也の手に再配達の伝票があるのを見た時、菜々は青くなった。

一度目は買い出しに出かけてしまい、受け取り損ねた。それで、夜に再配達を依頼したのだが、その時のチャイムを聞き逃してしまったのだろう。おそらくは泣き叫ぶ樹を抱っこ紐で抱えたまま風呂を洗って湯を入れていた、あのタイミングにピンポーンと来ていたのだと菜々は思った。

中古で買ったこのマンションには宅配ボックスが設置されていない。そのため、気の利いた配達員だと、電話をかけて呼び出してくれたりするのだ。かけてくれれば良かったのに、と思った。

「明日にでも届けてもらうね」

菜々は拓也に言った。

すると拓也が、突然、伝票を含む数枚の封筒を、菜々に向かって投げつけた。

封筒のひとつが菜々の耳たぶをかすり、目の奥にちいさな火花が飛んだ。

一瞬、何が起こったのか分からず、菜々は混乱した。拓也も自分の行為に驚いた顔をしていた。

今のは……暴力といってもいいのではないか。一拍遅れて、菜々は気づいた。

だけど、彼は謝らなかった。謝ったら、殴ったことを認めてしまうと思ったのだろう。一瞬の狼狽を、しかしすぐに取り繕い、即座に
「菜々は常識がないんだよ！　モラルがない！」

と、怒鳴った。

「いつも思ってたんだけどさー」

彼はいつもよりも早口に、宅配業者がどんなに大変な仕事か、再配達に赴くのがどれほどの負担か、といった話をし出した。菜々が黙っていると、そうやっていつもふんぞり返った消費者気分だから仕事ができないんだろ、復帰しても会社のお荷物になるだろうな、などといっきにまくし立てた。

考える隙を与えまいとしたんだろうと、今は分かる。菜々を責めることで、伝票を投げつけた

ことを、ごまかそうとしたのだ。そうやって、わざと高圧的に出ることで、焦点をずらした。ずらしながら、自分の優位をはっきりと示した。自分の夫がそういうことをする事実に、菜々はどう対処したらいいのか、分からなかった。

ひとまず菜々は身をかがめ、床に落ちた再配達伝票を拾った。あの時、樹はどうしていたのだろう。まだ、歩き出す前のことだ。もう寝ていたのかもしれない。樹の記憶がぽっかりと抜け落ちている。あんな場面を、幼い息子が見ていないといい。

「痛かった」

伝票を拾ってから、菜々は言った。

言っても仕方ないことだと思ったが、言いたかった。

すると、

「あたってないだろ」

と、拓也は言った。

え？

菜々は啞然とした。

封筒が菜々の耳を直撃したのをこの目で見たはずなのに、それから数分と経っていないのに。

今、夫は、「あたってないだろ」と、目の前で嘘を言ったのだ。

その後も、

「ほんと、自分勝手だよな。わざわざ家まで二度も来させて。宅配だって慈善事業じゃないんだよ」

と、拓也は話をそこに戻し、彼なりの正論をまくしたてた。その素早さと声の大きさは、菜々に、痛みから気をそらさせようとするかのような、策略さえ感じさせるものだった。

たしかに宅配の人には迷惑をかけたとは思っている。だけど、受け取り損ねたことは「会社のお荷物」とまで言われるほど致命的なミスだったのか。本当に、間が悪かったのだ。ではいったい、指定の時間内は居間に留まりチャイムの音に気を張りつめていなければいけなかったのか。腹痛を起こしてトイレに籠ったりすることも許されないのか。

菜々は、うつむいてくちびるを噛み、いつもそうしているように、「かっこいい自分」を思い浮かべた。

じゃああなたが受け取って、と言って、拓也から手渡されたばかりの再再配達伝票をテーブルに叩きつける自分。「働いていても、ひとり暮らしなら、タイミングを見て受け取るでしょう。わたしが会社のお荷物なくらいに無能で、それもできないって言うなら、あなたが代わりに受けとってくれればいいでしょう」。理路整然とそう説明する自分。

だが、菜々はいつだって言葉を発せない。拓也が怖いから発せないわけではないと思う。無駄だから。虚しいから。はっきり言って、面倒くさいから。

耳にあてた指先に、ちいさく血がついていた。耳たぶが紙の縁で切られたのだ。菜々はティッシュにそれを取ったが、拓也に見せなかった。しかし、拓也は気づいた。そして、ふんと横を向いた。

その日はもう話をしなかった。言葉少なに夕食を食べた。拓也は少し言い過ぎたとばかりに、優しい言葉をかけてきた。菜々が黙っていると、拓也は最後にさらっと謝った。謝ってから急に菜々にお茶を淹れたりした。そうなると、菜々もなんとなく、もういいかというような気分になってしまうのである。

そして……。まだあるのだ。信じられないことに。あの、悔しい記憶。いや、記憶というほど過去のことではない。これはひと月ほど前のことで、はっきり覚えている。拓也が大学時代の仲間たちとオンライン飲み会をしている時に、樹が部屋の中に入ってしまったのだ。菜々はその時、風呂を洗っていた。樹は脱衣所のあたりにいた気がしたが、書斎から、パパの楽しそうな笑い声が聞こえるのが気になったのだろう。

拓也は樹を抱えて外に出した。すると樹はまた入った。それで拓也はもう一度樹を外に出し、ドアの前に重し代わりのラックを置いた。すると、樹が泣いてドアをたたいた。髪をかわかし終えた菜々が、樹をなだめて居間に連れてゆくまで、ほんの数十秒ほどだったはずだ。

しかしオンライン飲み会を終えた拓也は、居間に入ってくるなり「何やってんだよ!」と菜々を怒鳴った。「こいつのことちゃんと見とけって言ってるだろ!」

ようやく樹を寝かしつけ、洗濯ものを畳んでいた菜々は、彼の剣幕にすぐについていけなかった。

「正直、奥さんは何やってんだって、みんな思ったと思うよ。だいたい、子どもをこんなふうに放置するの、危ないと思わないのかな」

ああ、こっちのパターンか。みんなこう思ったと思うよのパターンである。

菜々は、もう面倒くさいので謝ろうかと思ったが、どうして飲み会の間すら子どもからいっときも目を離さないことを強制されるのかと思うと、何も言う気がしなくなった。こんなことに苛立っている夫の姿を見て、気持ちがすーっと冷えてもいた。ばかみたい、と口に出さずに思ったが、顔に現れていたのかもしれない。

「おい。訊いてんのかよ!」

と言う拓也に、菜々は「しっ!」と制した。樹を寝かしつけたすぐ後だったから、起きてこないようにちいさな声で話すべきだと思ったからだ。

「『しっ!』てなんだよ!」

拓也に怒鳴られ、肩に痛みを感じた。

菜々は呆然とした。拓也に右手で、肩を突かれたのだ。以前の、投げたものがたまたま耳にあたった時とは違う、確実な、「暴力」を受けたのだ。

菜々の顔を見て、拓也も一瞬焦ったようだが、やはり彼は自分を正当化しようとした。菜々の不手際を責め、自分がいかに被害を受けたかをまくしたてた。菜々を謝らせ、暴力をなかったことにしようとした。

菜々は口を閉ざし、しかしずっと考えていた。オンライン会議に子どもやペットが顔を出してしまうことだってあるこの時代、ましてや飲み会である。ミュートにする、カメラを切る、そういった対応もできたはずだし、そもそもオンライン飲み会の仲間が「奥さんは何やってんだ」などと、思うだろうか。

しかし、拓也に対してそう話すことは、菜々にとって難しかった。何かを訴えようとすると、どうしても感情が乱され、涙が出てしまう。言葉では勝てないことが分かっていた。

菜々の肩を突いたことは、やはりまずかったと思ったのか、拓也はその後さりげなく菜々の機嫌を取ろうとしてくるようになった。翌日も、翌々日も、妙に優しい言葉をかけてきた。

だが、思った通り、長くは続かなかった。また何かで不機嫌になり、嫌味を言う。それはもう思いだせないくらいに何度も言われている、「そんなふうだから仕事ができない」というやつである。きっかけは忘れてしまった。何だって、きっかけになるのだ。

つい二週間前、菜々は拓也に初めてこう告げた。

「一回でも暴力を受ければ離婚が可能なんだって」

「離婚」という言葉を口にする時、緊張した。その可能性が存在することを示すだけでも、ふたりの関係性を決定的に変える気がした。

いつものように鼻で笑うだろうかと思ったが、

「あの時のこと?」

と、拓也は言った。忘れてはいなかった。

菜々が黙っていると、

「あの時はたしかに悪かった。本当にごめんなさい」

と、拓也は意外なくらいにしおらしく受け止めてくれた。菜々はその時、ほっとした。嬉しかったと言ってもいい。ようやく拓也が分かってくれた、と思った。

だが拓也はすぐに、「けど」と続けた。

「けど離婚はちょっと、大げさすぎるんじゃないか。さすがにそうやって別れることを脅しに使うと、夫婦間の信頼が歪むと思う。俺、親がそういうこと話してるんだーって思ったら、なんか、樹がかわいそうになるよ」

まさか、樹の名前が出てくるとは思わなかった。

「でも……でも、どっちかがどっちかにいつも酷いことを言ってる両親よりは、そういうのないシングルのほうが、子どもはまっすぐに育つって言われた」

菜々が言うと、拓也の顔が強張った。

「なんだよ、それ。誰に言われたんだよ」

「弁護士さんに相談できるサイトがあるの」

と、菜々は言った。

たしかに相談できるサイトはあったが、菜々は実際に相談したわけではなく、相談事例を読んだだけだ。しかし、弁護士に相談、と聞いて拓也の顔色は変わった。

「え、まじでそういうこと本気で考えてるの？　まさか、お金払ったの？　そんなことに」

拓也は薄ら笑いを浮かべたが、菜々は笑わなかった。

いつもくたくただったが、その日はいつにもまして、くたくただった。拓也の機嫌を取る気力が、もうなかった。

寝室から泣き声がした。

「樹を寝かしつけるから、来ないで」

菜々は言い、樹のもとに行った。寝かしつけると同時に自分もそのまま寝ることにした。拓也との寝室は別である。樹の夜泣きを嫌って、拓也がパソコンデスクのある個室で寝ているからだ。

菜々は暗闇で樹の背中をとんとんしながら、寝入るのを待った。

樹はなかなか寝付かなかった。菜々は、ひと通り言いたいことを言えてすっきりしたはずだったが、心がからからに乾いて、疲労しているのを感じた。疲労しているのに、眠れなかった。涙が勝手に出てきて、頬を伝い落ちていった。

だが、その翌日から、菜々はなんとなく自分の心がすっきりとし、少し強くなったような気がした。

口に出して初めて、離婚という選択肢がくっきりと目の前に開かれたからかもしれなかった。対して、拓也は初めてほんとうにこのままではまずいと思ったらしい。先週、「ちゃんと話をしよう」と言ってきた。

感情的になることが何度かあったのは認める、本当にすみません、と拓也は初めて真剣に謝った。拓也なりに、「離婚」の響きを重く受け止めてくれたのだと思うが、それよりも、菜々が弁護士に相談していると思い込んでいて、そこにショックを受けていたようである。その証拠に、話の途中で「録音とか、してないよな?」と冗談めかして訊いてきた。

言質を取られたくないからか、それとも本当にそう思い込んでいるのか、拓也は「暴力」について、あれはたまたま伸ばした手があたってしまっただけでどうのこうのといまだに言い訳をし続けていた。自分がDV夫だとは絶対に認めたくないのだろう。彼がDVを恥じてくれているのは、菜々にとっての救いだった。

そしてそのまま、話は保留になっている。直後に、西と彩子の家に行く話が持ち上がり、なんとなくうやむやになってしまったのだ。

今日の外出で、菜々は、思い知らされたような気がしていた。

「離婚」の言葉が出て以来、拓也がキレそうな自分を抑えようと努力しているのは知っていた。

でも、いらいらすると、言葉や表情にすぐ出るのだ。いらいらの沸点は低すぎるし、彼は自分で自分の機嫌を取れない。要するに、ひどく子どもっぽいのだ。何かあったらまた怒鳴られる。いじわるなことを言われる。そう分かっているから、菜々はいつも少しだけ緊張している。緊張しているのに、どこか諦めて、投げやりになっている。西の前でリラックスしきった彩子の表情を見てしまったことで、菜々は、拓也に対してもう諦めている自分に気づいた。同時に、彩子を羨んでいる自分にも気づいた。ふたりの佇まい、ふたりが暮らす部屋、家具、家電、雑貨、そのすべてを羨んでいた。

本来の自分は、好きなものがあふれた、ああいう部屋が好きだったと菜々は思い出した。インテリアや収納なんて気にもしていないような、ごちゃごちゃした色あいの雑貨が所せましと並んでいるあの居心地の良い空間を見てしまったことで、夫の機嫌に左右されすぎている自分の窮屈さを思い知らされた。

わたしは、拓也と一緒にいると、本当の自分でいられない。

電車の座席で寝たふりをしながら、菜々は思った。そして、「本当の自分」がどんなだったのかを、もう思い出せないことに気づいた。

岡崎彩子

開店（オープニング）はいつも三人で回している。店長と主婦の人と、それから彩子。

主婦と彩子がテラス席を作っている間に、店長がコーヒーマシンを稼働させつつ清掃する。清掃といっても、閉店（クロージング）の担当が毎晩きっちりやってくれているから、それほど大変な仕事ではなさそうだ。一方、テラス席を作るのはちょっとした力仕事なので、同僚の主婦は今日も、「店長って、ぜったいテラス席やらないよね」と陰口を言っている。彩子は「ですよねー」と応じるが、テラス席用のテーブルや椅子を運ぶのは、朝の体操のようで、それほど嫌いではない。規則正しい、健康な生活。今の自分にとって、とても大切なことだ。

アルバイトを探す時、これまでずっとやってきた事務職がいいのではないかと西は言ってくれた。だが、新型肺炎による自粛自粛の世の中で、そんな仕事は見当たらなかった。

結局、アルバイト関連のクチコミで、評価が低くなかったこのカフェで働くことを決めた。有名なチェーン店なので、研修にはしっかりとしたマニュアルがあり、他のアルバイトの人たちの感じも良い。この仕事を、彩子は気に入っている。

今日は開店から十二時ぴったりまで働いた。

「お先に失礼しまーす」

忙しく働いている同僚たちの手を止めないように、小さな声であいさつをした。事務室に行き、エプロンを外す。黒か白のシャツ、地味な色のパンツ、デニムやスカートはNGというくらいで、決まった制服はない。店名の入ったエプロンをつければよい。足元は履きなれた靴。この、理にかなった緩さも、気に入っていた。

店を出て、彩子は従業員用の駐輪スペースに停めていた自転車にまたがった。

駅前の食料品店はやや割高なので、少し駅から離れた業務用スーパーまでひとっ走りする。

買い物かごを腕から提げて、店内を見て回る。鶏むね肉がとても安い。量はやや多いけれど、冷凍して何回かに分けて食べればお得だろう。珍しく、大根のまるまるとしたのも売っている。思わず手にとった。ダース売りしている野菜ジュースに心が揺れたが、同居している西が好きな味か分からなかったのでやめた。代わりに、冷凍ブロッコリーの大袋を買う。

彩子が西と暮らすようになって、一番大きく変わったのは食べ物だ。

それまで彩子は、ひとり暮らしが長い割に、自炊をしたことがほとんどなかった。前の会社で同僚だった菜々が仕事で疲れている日も自炊しているという話を聞いて、感心半分、呆れ半分だったほどだ。

もちろん美味しいものを食べたいが、外食は高くつくし、疲れて帰宅する平日に台所に立つ気力はない。疲れていなくても自炊自体が面倒くさかった。

それなら何を食べていたのかといえば、スーパーで安くなった弁当や総菜で済ませたり、面倒くさい時は夜にハムを載せた食パンでちゃっちゃとお腹を膨らませたり、といった具合である。作ることだけでなく、食べることすら面倒くさいと思うほどだった。

だが、同居することになった西に、そんな自分の食生活を知られるのは恥ずかしかった。それで、さも以前から自炊をしていたというふうに、振る舞っているうち、習慣化したのである。

これは、思ったほど難しいことではなかった。というのも、今の時代、調理の仕方を動画でコンパクトに見せてくれる、とても便利なアプリがあるのだ。

彩子が愛用しているのは、『コトコト』という調理動画アプリである。

どのように活用しているかといえば、まず業務用スーパーの片隅で開き、鶏むね肉、大根、と安くなっているものを入れて、キーワード検索するところから始まる。ずらりと並ぶ、鶏むね肉と大根を活用するメニューを、調理にかかる時間順でソートする。そして、簡単そうなものから選ぶのだ。

彩子は、今日の夕食は「超簡単☆鶏むね肉と大根とブロッコリーの栄養煮」にしようと決めた。大根をざくざく切っていって、面取りなどせず、そのまま電子レンジでチン。これならできそうだ。

『コトコト』は、西の会社が出しているアプリである。だから、使う調味料がすべて、西の会社のものだというのが大変良い。というのも、彩子が退社する前に、社員の人たちの厚意で、サンプル品をたくさんもらっていて、まだたっぷり余っているからだ。動画と同じように作っていれば、味が外れることもない。他社のものよりは、彼氏の会社の商品を使いたいのは当然だし、この商品を使ったよと教えれば、西も喜んでくれる。

そんなわけで、いつしか彩子は、共同生活の料理担当となっていた。

カフェでアルバイトを始めてからの日々。収入は月によるが、だいたいアベレージで十万円。以前の半分になってしまったが、西と暮らすことで、住宅費や光熱費といった固定費がかからなくなった。最初のうち、家賃を半分払いたいと申し出たが、西は固辞した。「アルバイトの人からもらえないよ」と言われた時は恥ずかしく感じたが、それが西なりの優しさや気遣いであることは分かっていた。

だからせめてご飯くらいは作りたかった。

彩子が夕ご飯を作ることを申し出ると西は喜び、美味しい美味しいとよく食べた。

今日も買い物バッグを自転車の前かごに積み、彩子は帰宅する。

スマホを横画面にして動画アプリを開き、『独身アラサーMaiの香水日和』を流す。眺めながらサンドイッチを作って食べた。

『独身アラサーMaiの香水日和』は彩子のお気に入りの動画チャンネルだ。動画が更新されれば真っ先に見に行くし、更新されていなければとりあえず「モーニングルーティーン」を流す。静かなジャズをBGMにしたMaiのモーニングルーティーンは、何度見ても飽きない。同年齢のMaiが、朝の時間を大切に過ごし、自分を高めようと努力しているその姿を眺めていると、自分の心も少しずつ整ってくる気がする。画面にうつるメイク用品も雑貨もマグカップも、全部が素敵だ。ちらりと見えるMaiの部屋の様子にも憧れる。壁を薄いグリーンに塗っているところなんて、まるでヨーロッパの家のようで、ため息が出る。メイク、髪のセット、最後に香水をひと振り。それから扉を開けて。朝のカフェへとさっそうと歩きだすその姿を見ると、彩子の心にみずみずしい風が吹き抜けるようだ。

画面の中のMaiと同じタイミングで、彩子も香水の入った小瓶を取り出した。少し離れたところから、ほんのひと振り、首筋を香らせる。

香水をつけることは、今の彩子にとって午後の始まりを迎える大切な儀式だ。

彩子は、一度だけＭａｉに会ったことがある。三年前に菜々の家に集まった時に紹介してもらったのだ。Ｍａｉ――板倉麻衣は、あの日、手作りの香水をそこにいた女子全員にプレゼントしてくれた。

香水といえばツンと痛いような人工的な香りがするものだと思っていたが、麻衣が作った香りには、いわゆる「わざとらしさ」がなかった。花びらから丁寧に抽出したような、澄んだ甘みが感じられ、こんな自然な香りもあるんだなと思った。

しかし、彩子が香水を日常使いするまでには時間がかかった。ひとり暮らしのアパートの、ごちゃごちゃと何でも放り込む引き出しの奥に、香水瓶はしまわれたままだった。

毎日午後に香水をつけ出すようになったのは、このアルバイトを始めてからのことだ。

アルバイトの面接を受けた時、

「勤務中、ネイルと香水はつけないでくださいね」

と、店長に言われた。

面接でどちらもつけていなかった彩子への、念のためといった感じでかけた定型文だったと思うが、そう言われた時、彩子は麻衣からもらった香水を思い出した。

香水の使用期限というものを彩子は知らなかったが、仕事の後につけてみると、香りは褪せていなかった。

手首に吹き付けてみると、豊かな甘みが鼻孔に広がる。

カフェで「無香」でいることに縛られるようになったのと、Ｍａｉの動画を見つけたのが、ほぼ同時だった。彩子は急に香水をつけたくなった。ひとりの時間にひと振りだけ、自分に素敵な香りをつけることを楽しみ始めた。

この香水を作ったＭａｉの本名を知っていることが、少し嬉しい。

彼女は今や登録者が二万人を超える動画クリエイターだ。香りのある生活をコンセプトにした動画をアップし、コメント欄を見ると彼女に憧れている人も少なくない。

たまたま「おすすめ」で回ってきた動画の中のＭａｉが、菜々の同期の板倉麻衣だと分かった時、彩子はひそかに興奮した。そういえば、当時もＳＮＳをいろいろやっていると言っていた気はしたが、こんなふうにしっかりと、定期的に、素敵な動画をアップしているとは思わなかった。

この間、菜々夫婦が家に遊びに来てくれた時にもその話をしたが、なぜかあまり盛り上がらなかった。同期の彼らにとっては、麻衣がＭａｉとして活動していることは特段騒ぐほどでもない周知の事実だったのだろうし、子育てで手一杯の彼女たちは同期がインフルエンサーであることに、さほど興味もないのかもしれない。

だが、彩子にとってのＭａｉは、芸能人並の有名人だ。画面の向こうで素敵な生活をしているＭａｉが作ってくれた香水を自分の体にそっとつけられることは幸せだった。

今日もＭａｉの香水をつけて、彩子は席につく。スマホを操作して、登録してある資格取得予備校のアプリを開く。

税理士資格を取得するために、これからＷＥＢ講義を二コマ受ける。

一コマ終わった後に三十分休みを設け、そこで夕食の下ごしらえをするのが決まりだ。

仕事も勉強も家事も、すべて自分で時間を決めて、自分を管理して、今のところ怠けずに頑張っている。つまり香水は、誰のためでもなく、自分を奮い立たせるアイテムだ。午後の時間、この香りに包まれて、未来の自分のための努力をする。

未来の自分のための……

これまで、そんなことを考えたことはなかった。お金のため、立場を守るため、見放されないため、見下されないため。いつも守りに入っていた気がする。

分単位で決めた予定表を机の上に置き、彩子はWEB講義の再生スイッチを押した。

税理士資格取得のための勉強をするような贅沢は、もう自分の人生にもたらされないと、彩子は思っていた。

そう。勉強することは「贅沢」である。この歳になって、それを彩子は思い知らされた。

この歳というのは三十一歳から三十三歳にかけて、である。今の日本で、生きていくことが危うくなるかもしれない状態に置かれるとは、思っていなかった。だが、三十一歳から三十三歳にかけて、彩子はそうなった。自分がこの先生きていけるのだろうかと怖くなった時、これまでずっと学べる機会を無駄にし続けていたことに気づいた。

学生時代も、税理士事務所に勤めていた頃も、勉強をする機会はあった。資格試験の予備校から資料を取りよせたことも、参考書や問題集を買ったのも、一度や二度ではない。しかしいつも途中でやめてしまった。やめるための言い訳なら、いくらでもあった。忙しい。疲れている。他にやるべきことがある。数々の言い訳は彩子を焦燥や不安から守り、同時に彩子の持つべき武器を奪った。

この十数年の間、自分はいったい何をしていたのだろう？

不真面目だったわけではない。高校の評定は悪くなく、先生に勧められた推薦入試を受けて、名の通った短大に入学することもできた。入学後も、遊び惚けたりバイトに励んだりで授業をおろそかにする同級生たちに流されることなく、単位をしっかり取得した。教授から就職先を紹介してもらえたほどには信頼されていたと思う。

だけど、その勉強は、与えられたものを飲み込むだけで、「学ぶ」よりは「こなす」に近かった。

新卒で勤めた税理士事務所は、規定の年数勤めることを条件に、資格取得のための支援をしてくれていた。実際に、その制度を利用して夜間に予備校に通い、資格要件の科目を取得していた先輩たちもいた。

しかし思い返せば制度を活用した先輩たちは男性だった。高卒や専門卒の男性たちも、仕事と勉強を両立させ、着々と税理士試験の科目をおさめていった中で、女である自分は立ち止まらざるを得なかった。なぜならば、所長に目をつけられてセクハラをされるようになったからだ。

あの時どうしてもっと……と何度も思う一方で、あそこで所長の露骨な誘いをうまくかわしながら勉強と仕事を両立させる能力は、今思い出してもやはり無かったと振り返る。過去の自分を、甘かったとか、弱かったとか、そう責める気はなくて、必死に逃げたことを誇りたい。

だが、思いだすと、どうにも彩子の呼吸は荒くなる。あの頃の自分が、逃げることに必死なあまり、その状況が理不尽であることを認識できなかったことが歯がゆいのだ。

人生全体を揺るがす大損を被ったのだ。

今の自分が、当時の自分にアドバイスできるならば、あの時受けたセクハラ発言を、すべて書き出しておくようにと言うだろう。法律相談の窓口に訴えても良いが、それよりもまず、あの税理士事務所に自分を推薦した大学教授に話すべきだった。もとはといえば、事務所の所長は教授の知人だったのだから。あの事務所に二十歳の女子学生を推薦した教授にも、責任の一端があったと考えても良い。そして、あんな事務所でぎりぎりまで我慢することはなかった。おかしいと思った瞬間に、転職活動をするべきだった。別の就職先を紹介してもらうか、あるいは自分で探す。

でも、当時の自分にそんな考え方はできなかった。

好意も敵意もないところで淡々と資格を取得できた男性もいたというのに、こちらはといえば、中途半端に勉強を中断し、それについて自分に落ち度があるゆえと思い込んでいた。二十代の時の無自覚が作り出した差が今に大きく響いていることを思うと、彩子は心底ぞっとする。

心地よく勤めることのできていた食品会社から派遣契約を切られたのは、一年前のことだった。契約を更新されなかったのである。

これは彩子の人生にとって、まさに予定外のことだった。

新卒で採用された税理士事務所を辞める時、正社員を目指して転職活動する道を考えないでもなかったが、派遣社員になる道を選んだのは、異性の上司からの執拗なセクハラと、女性の先輩との意思疎通の難しさに懲りていたからだ。時間を切り売りし、人間関係を薄くすることを彩子は選んだ。

派遣社員になってからも、しかしセクハラには遭い続けた。都度、逃げるように職場を変えた。

二十代後半の契約更新時に担当者から、この食品会社を推薦された。社名より商品名がメジャーな会社である。時給は平均的だったが、長期にわたって契約更新をし続ける実績があると言われた。社員を大切にする社風が、派遣社員にもおよび、二十年以上契約を更新し続けている人も少なくないということだった。彩子は、当時の契約先からも更新を請われていたが、より良い条件と安定した未来を考えてその食品会社を新しい契約先に選んだ。

実際に勤めてみると、公表されていた実績の通りに穏やかな社風で、仕事の内容に不満はなかった。心の中で、いつまで派遣社員として働いていけるのか、不安がないわけでもなかったが、他部署にいる派遣社員の話からも、よほどのことがない限り、当面契約更新してもらえるものだと思われたので、あまり焦ってはいなかった。

問題は、「よほどのこと」を、自分側の問題に限定して考えていたことである。自分が、辞めさせられるほどの大きなミスをしたり、他に魅力的な仕事を見つけて心うつりしたりしない限りは安泰だろうと思っていた。

「よほどのこと」は、自分ではなく、社会に対して起こった。

新型肺炎ウイルスの蔓延である。あのウイルスがみるみる世界中に広がり、激しく報道が繰り返され、街中がおびえた。そして春のある日、最初の緊急事態宣言が発令された。

景気の影響を強く受けない業界とは言われているものの、食品会社は衛生管理面には厳しい目が向けられる。あの頃、感染者数が連日報道され、感染源の犯人捜しが日常化していた。クラスター発生で社名を報道されたら大変なことになると、社内のムードがぴりぴりと厳しくなっていた。

彩子が所属していた管理系の部門は、会社の中でいちはやく対応したといえる。菜々からちらと聞いた話によると、管理部長は喘息持ちの新入社員のために、上層部に掛け合って、早々にリモートワークの体制を整えようと動いたそうだ。新卒のその男性社員は、大人になってから喘息を発症したということで、新型肺炎が広まる前から薬を飲んでいた。持病持ちの部下の命を守るために上司がいち早く動いたというそのエピソードを、菜々は素直に賞賛しているようだった。

しかし、それを聞いた彩子は、心に小さな棘がつかえるのを感じた。

喘息持ちなのが、正社員の新入社員ではなく、派遣社員の自分だったら？　そんなことを考えた。

答えは誰にだって分かる。部長が彩子のために勤務体制を変えるわけがない。

その時初めて、正社員と派遣社員の間にある深い溝が、くっきりと見えた気がした。

その溝はもともとそこにあり、彩子こそ理解しているはずのものだった。理解した上で、とっくに割り切っており、派遣される立場ゆえに得する面があることにだけ注目しようとしていた。だが、新型肺炎の広まる世界で、これは、大げさにいえば命に関わる溝だった。あたかも家族と他人の差のようにまで思える待遇の違いを前にし、彩子は、自分でも驚くくらいに傷ついた。傷つくことが合理的ではないとも思い、そう思ってしまうことで、抗議や嘆きの言葉も封じられた。

あの時期、彩子だって、感染が怖かった。できることなら電車に乗りたくなかったし、会社のトイレを使用することも怖かった。しかし、派遣社員にリモートワークの選択肢はなかった。正社員たちが順にリモートワークを請け負うなかで、彩子だけは常に出勤を強いられた。

出勤を強いられているうちは、まだ良かったのかもしれない。当初は電話の取次ぎをしたり、社員が持ち帰り忘れた資料を各自宅にPDF化して送ったり、といったこまごました作業が必要とされていたが、じょじょに自分の仕事がなくなっていくのを感じていた。潮がゆっくりと引いていくような……、それは感染と同じくらいに大きな恐怖だった。

新型肺炎による不況下で、派遣社員が次々と雇い止めされているというネットニュースを見た。あまりにも身近に感じられる事実が淡々と記されているその記事を最後まで読んだ。「命の階級格差」「死にたい」そんな文言が他人事と思えず、最後まで熟読した。

記事を読み終えると、その下にコメント欄があった。

——なんとかしないと日本が沈んでしまう。

——職場の派遣さんが切られてしまい、若手社員の負担がやばい。

——使い捨て前提の雇用契約、冷酷すぎますね。

ほとんどは派遣社員たちの境遇に同情的な書き込みだった。

しかし、そんな意見の中に紛れ込む「自己責任」「自分で選んだ道なのだから仕方ない」といった言葉が目を射る。数は少なかったが、その言葉は刃となった。深く傷つきながらも、反論できない自分がいた。そして、本当はみんなそんなふうに思っているんじゃないかと思ってしまう。自己責任。自分で選んだ道なのだから仕方ない。町を行きから人たちも、会社の人たちも、そして菜々も、そう思っているのかもしれない。

わたしはいったい、どうなるんだろう。

流行り病が蔓延し、経済活動が縮小し続けてゆく限り、今以上によい条件で、事務職での転職ができるとは思えない。仕事もないまま、もし、新型肺炎にかかってしまったら？　貯めてきた預金はあるが、東京での生活を何年支えられるというのか。実家に帰る場所はない。アパートの家賃、光熱費、食費、医療費……

「わたし、死ぬかも」

ふと漏れた自分のつぶやきを、彩子は忘れられない。

その年の終わり、部長から契約期間満了により更新なしと言い渡された。

最初のうち、彩子は、自分が雇い止めを言い渡された話を西にすることができなかった。西だけでなく、誰にも言えなかった。菜々にすら言えなかった。もちろん親にも言っていない。その状態が二週間ほど続いた。

なんで言えなかったのだろう。今も彩子は不思議に思う。とても傷ついているのに、傷つくことが悔しかったのかもしれない。

派遣社員の自分が、非常事態においてまっさきに切り捨てられる存在であることを、おおっぴらにしたくない気がした。どこかに訴えるとか、権利を主張するとか、そういうパワーはなかったし、契約が見た目上はきちんと守られていることも分かっていた。これまで当たり前のようにされていた更新を、これからも当たり前のようにされると思っていた更新を、会社はしてくれなかった。なんとなく続いていくと思われた日々が、真っ先に終わる。非正規雇用の自分は、実は、薄氷の上を歩いているような、頼りない立場なのだった。

失業のショックを抱えながらも深刻なムードにならないように気をつけていたある日のデート

で、別れ際、「一緒に住むのはどうだろ」と西が突然言った。

彼はその日じゅう、いつこの提案をしようか、迷っていたようだった。

「彩ちゃんの新しい仕事が落ち着くまでとか、期間限定でもいいし。ただ、ちょっと、狭いけど」

まるで言い訳をするように早口で、彼は言った。

彩子は黙った。

仕事を辞めるとだけ伝えていたが、派遣切りされたと察したのだろうか。

同情されているのかな。

彩子は恥ずかしく感じた。生活を助けてもらうようなかたちで同棲することは、その瞬間からもう、対等な関係ではいられなくなるような気がした。

付き合っているならまだしも、とも思った。つまりその時点で、西とは、ちゃんと付き合っているのかどうかがあやふやな関係だったのだ。

菜々の家にお呼ばれした日に初めてゆっくり話し、それからラインのやりとりを重ね、少しずつデートを重ねてきたものの、お互いに一歩踏み出せないまま一年以上が経っていた。時々ふたりで遊びに行くし、手もつなぐけれど、それ以上の行為を求めることはない、謎の関係が続いていた。「付き合おう」とか「好き」という、決定的なひと言を避けるように、ふたりは会話を保ち続けていた。

一緒に住むというのはもう確実に次のステップに進むことである。次のどころか、大きな飛躍過ぎて、大丈夫なんだろうか。

……迷いながらも、心は決まっていた気がする。それはもう、「生きていくため」だった。

とはいえ、西のアパートに移り住んでからも、いつでも戻れるように、彩子はしばらく自分の家の家賃を払い続けた。一緒に暮らしてみて初めて本性が見えることもあるとはよく聞く話だし、やっぱり少し怖かった。

やがて、西が本当に「大丈夫」な人だということが分かった。

何が大丈夫といえば、生活習慣が一定で、性格が穏やかで、性的な行為の強要がなく、住環境が清潔に保たれているという、同居人として完璧な大丈夫さなのであった。

そのうえ、ふたりの波長は合った。住まいは1DKと、ふたりで暮らすには手狭な上、西にはたびたびリモートワークが課せられていたので急に一緒にいる時間が長くなると、お互いに息苦しくなるのではないかと思ったが、そんなこともなかった。その頃は、玄関から入ってすぐのダイニングで彩子が過ごし、西はベッドの横に置いた簡易テーブルで仕事をしていた。

オンライン会議の口ぶりを聞けたこともよかった。西の感情の一定ぶりがよく分かり、より安心できたからだ。

彼は後輩に対しても声を荒らげることが決してなく、いつも穏やかに接している。時々席を離れて体操をしているが、その姿もなんだかほんわかして見える。

この生活なら続けられそうだと彩子が思った頃、西が、上にひと部屋空いたようだと告げた。

「大家さんに頼んでそっちに移らせてもらおうかと思ってる。出窓とロフトあるし」

「出窓とロフト」

「そう、角部屋で、最上階だから」

「でも、家賃高くなるんじゃない？」
「ちょっと上がるけど、今は海外旅行にいけないから節約できてるし、自分、このアパートに入居した時から、いつか三階に移動できたらいいなと思ってて、見晴らしもよくなるし、ロフトっていいじゃん。だから引っ越そうと思うんだけど」

と西は、自分がそっちに移りたいかのように言った。実際に出窓のある部屋に憧れていたのだろうけど、それは彩子に、期間限定でなく、好きなだけここにいていいんだよというメッセージに聞こえた。

「ありがとう」

心がほどけていく気がした。

こうして西と彩子はひとつ上の階に引っ越しをした。大きな家具や家電を運ぶ時だけ配送業者に依頼をし、あとは自分たちで少しずつ物を移動させた。そのタイミングで、彩子はようやく自分の部屋を引き払った。

新しい部屋のロフトの存在は思った以上に大きかった。彩子は自分の荷物をそこに詰め込んだ。そして、西と暮らすこの町で、アルバイトを探すことにした。

アルバイト選びは思った以上に難航した。飲食業の営業時間が制限されているため、少ない枠に応募が殺到していた。日中の数時間だけを希望する彩子は、「条件が合わないので……」と多くの店から断られた。

ようやく見つけた新規オープンのコーヒーチェーン店に勤められることになったが、早朝の開店業務に就くことを条件とされた。時給が少し高くなるぶん、テラス席の準備という力仕事を強いられる。それでも、働く場が与えられたことにほっとした。

掃除やゴミ出しなどの雑用を一通り覚えつつ、メニューも丸暗記した。バリスタを担当するまで、思いがけず時間がかかった。その間も彩子は頭をフル回転させて臨んだ。知らない人に対して声をかけることは、たとえそれがマニュアルに定められている挨拶や、定型の問いかけだったとしても、勇気のいることだった。地味でくたびれる仕事で、時給は最低賃金だった。オープニングスタッフとして採用されて、一緒に研修していた人たちの中にはすぐに辞めてしまう人も少なくなかった。長く続くか、すぐ辞めるかに、属性は関係なかった。大学生でも主婦でもフリーターでも、すぐ辞める人はいた。研修中は感じが良くて、熱心に見えたのに、オープン数日で突然来なくなる人もいた。長く残る人との差は分からなかった。人間関係の運や、アルバイト以外のスケジュールの違いもあるのかもしれない。ここを辞めたら次はないと思う彩子は、嫌われがちなテラス席の準備も嫌がらずにやった。

仕事内容をひととおり覚えて落ち着いてから、彩子は、通信教育の「集中速習コース」の受講へと行動を移した。

まずは、事前のカウンセリングのために、通信教育を主宰している資格取得学校に出向いた。そこでは、簿記二級を持っていることと、税理士事務所に勤めていた頃に独学で勉強して得た知識があることなどを評価され、一番ハードとされるこの短期間講習を勧められた。決して安くはない金額を、彩子は自分のために、思い切って投資した。

集中速習コースは毎日二コマの授業がある。

WEB受講だと、速度を変えて聞けるので、対面授業よりも時間の節約になるが、その分自分を律してしっかり取り組まなければいけない。ノートに要点をまとめながら授業を聞き、夕食の後、そのノートの復習をする。土日にも数コマ受けないと追いつかないスケジュールだ。

彩子は今、忙しいけれど、とても充実している。こつこつ貯めてきた貯金を崩してこの講習を取ったのだが、お金がなくなった怖さは全くなかった。むしろ、自分のために一番良い使い方ができている実感があった。その頃にはカフェの仕事にも慣れてきた。慣れてくると、声を発することも、体を動かすことも、自分を内側からきびきびと立て直させてくれる気がしてきた。

日々は確実に前へと動いている。

今こうして彩子が毎日を過ごせているのは西がいるからで、その西と出会わせてくれたのは菜々で、彼と出会えていなかったら、わたしどうなっていたのだろう。それは今も彩子が時々考えることだった。今の生活は西に、ひいては出会わせてくれた菜々に負うていた。だから、ちゃんと礼を言いたかった。

それで先週、彩子と西は、菜々ファミリーを自宅に招いたのだった。

あの日、彩子は麻衣の香水を少しだけつけていた。ＭａｉのVlogの話もしようと思っていた。だけど、なんとなくその話ができなかった。

なぜ話しそびれてしまったのか、彩子には分からない。

ただ、分かることがある。菜々は変わってしまったということだ。

どこがどんなふうにというのは分からない。一緒に働いていた三年前の菜々と、先週会った菜々の、表情や雰囲気がどことなく違った。

あんな感じの人だったっけ?

記憶の中にある菜々の姿と照らし合わせて、彩子は首をかしげる。

家に来た菜々は、最初から最後まで、どことなくぼんやりしているように見えた。そう見えるのに、ところどころ、はっとしたように目の奥が鋭く光った気がした。だから、彩子は菜々が少し怖かった。

もしかしたら、玄関に置きっぱなしにしていたベビーカーの中ですやすや寝ていた息子さんに気を取られていたのかもしれない。そう思おうとした。だが、それにしても彼女は以前と違いすぎた。太ったし、顔色も良くなかった。

そう、菜々は明らかに太った。こんなことは、絶対に口に出してはいけないし、西にも言っていない。

もちろん、出産という大きなイベントを乗り越えてきたのだから、体の変化は致し方ないことなんだろう。誰もがきらきらとしたママタレみたいにいかないことくらい分かるし、頑張っている彼女に太ったなんてとても言えない。だが、その体型の変化に、彩子はどことなく不吉なものを感じた。

それは、彩子の夫である拓也への印象の変化にも重なった。

あの日、部屋に入ってくる前に、菜々と拓也は口論していた。約束の時間近くに、少しだけ開けていた外廊下に面した窓から階段を上がってくる音がしたので、菜々と拓也だろうと思い、ドアを開けて出迎えようとしたら、突然男の人が怒鳴っているような声がした。彩子ははっとし、動きを止めた。

何か言葉をぴしゃりと打つように人にぶつける声がして、それは確実に菜々のものだった。

聞いてはいけないものを聞いてしまったと思った。

彩子は静かに奥へと身を移し、寝室でくつろいでいる西の耳に入っていないことを確認して安堵した。

なんとなくぎこちない気分で出迎えたが、部屋に入ってきた菜々と拓也は、さすがににこやかだった。

しかし、皆で話している間に拓也が面白そうに言ったあの言葉を思い出すと、今も彩子は心がひりつく。

——自粛、自粛で、かえって同棲カップル増えてるのかもな。外で遊べないもんなあ。

と、拓也は言ったのだった。

ひりつきながらも、ちょっとだけほっとしている自分もいる。そんなふうに映るんだなあ。身近に派遣切りをされた人がいなければ、正社員の彼にとって、どちらかが家賃を払えなくなるからする同棲など、思い至らないものなのだろう。彩子が、独りきりの部屋で、この先どうなるのか分からなくて「死ぬかも」と真顔でつぶやいたことなど、拓也には知る由もないのだ。好きな人と一緒に住むことになった幸せな女だと思われているなら、それでいいと、彩子は思った。妙に事情を勘繰られたり、その結果同情されることに比べれば、ずっとまし。

だけど、どうしても訊きたくなった。

「拓也さんて、どんな人なの」

ふたりが帰った後、彩子は西に訊いた。

「なんで?」

西がこちらを見た。

「なんとなく」

と、彩子が言うと、

「かっこいいけど、既婚者だよ。知ってるでしょ」

西が言った。

「は？」

思ってもみなかった西の返し方に、彩子は戸惑った。拓也の容姿など、考えたこともなかったし、既婚者なのは当然だ。呆れた彩子が何か言い返そうとすると、先に西が言った。

「いや、前にうちの部署の派遣の子に、『紹介して』って言われたことがあったから」

言い訳のつもりか、牽制したいのか、よく分からないし、「派遣の子」という言葉も彩子の心をひっかく。大切なはずの西の心の底の粘っこいものを見てしまった気がした。

「菜々ちゃんが疲れてるっぽかったから、拓也さんは子育てとか家事とかちゃんとやってるのかなって思っただけ」

彩子が言うと、

「あの子……樹くんだっけ、ずっと寝てたよな。どんな子かよく分からなかったね」

と、西が言った。

彩子は、一瞬感じた西へのもやもやを、心の中に封じ込めて、

「あんな姿勢で寝たら、腰とか痛くなっちゃうよね、大人だと」

と、言った。

「コアラって十九時間寝るらしいけど、人間の子どももそんな感じなのかもな」

西も言い、なんとなく強張った空気がほぐれた。

こんなやりとりが亀裂にならないような、もっと厚みのあるふたりになりたいと、彩子は思った。


今日も「集中速習コース」一・五倍速で授業ひとコマを聞き終えた。午後二時四十五分。ここから彩子は三十分間の休み時間を取る。

いつもは夕食の下ごしらえをするのだが、どうにも、思い出した菜々の姿が気になって、スマホを起動した。

ラインアプリを開いて、菜々にメッセージを書いた。

――このあいだは楽しかったね。忙しいと思うけど、また会わない？　ランチとか。良かったら来月あたり、どうだろ。

書いた文字を見つめたまま、彩子は送信を迷っていた。

すでに先週、菜々からは、招いてくれたことに対する礼のメッセージが来ており、それに対して彩子も感謝を伝えていた。そこでやりとりは終わっているのに、追ってメッセージを送るのは、ちょっとしつこすぎるだろうか。

そもそも菜々にもう一度会って、自分はいったい何を話したいというのだろう。

顔色や体型の変化が心配だったと伝える？

まさか、と彩子は思った。そんなこと言えやしない。だいたい、菜々は、彩子が派遣切りされた会社の正社員で、既婚者で、子どももいて、育休から戻ってきて、今もバリバリ働いているのだ。月いくら稼いでいるのだろう。想像もつかないし、そんな想像をしようとした自分が卑しく思えた。

大きな組織に所属し、自分の何歩も先まで人生をリードしている彼女が、今、一時的に育児疲れをしているからといって、わたしが何を心配し、何をしてあげられるというのか。

彩子は、菜々と自分が、純粋な友達ではなかった気がした。

いっとき同じ職場で働いていた、同い歳で同性の正社員と派遣社員。共通点でつながっていただけ。

仕事なんて、そんなものかもしれないと、乾いた考えが浮かんだ。

彩子は、書いたメッセージを消した。

気分を変えるためにも、台所に立った。さっさと夕食を作ってしまおう。

まずはスマホの『コトコト』アプリを開く。決めていた料理を検索して画面に出すと、動画の再生ボタンを押した。軽快な音楽とともに、使用する調味料の紹介があり、それから料理する手元が映される。大根をいちょう切りにしてレンチンしつつ、味付けしたとり胸肉を炒め、水を注ぎ、大根とともに煮立たせる。『コトコト』の調理法は、ずぼら主婦向けを謳っているだけに手順が簡略化されており、ささっとそれらしいものが作れるのだ。後で上から散らす小葱を切りつつ、ごはんを炊いて、味噌汁も作ってしまう。

これだけ終えると安心して二コマ目に臨める。いつものペースだ。西が帰宅するまであと数時間。帰ってきたらすぐに夕食を出せる状態で授業を聞こう。

と思って再生スイッチを押した時、玄関のドアが開く音がした。

「あれ。早い」

味噌をといていた彩子が、帰ってきた西に言うと、

「濃厚接触者になった」

コンビニの袋をぶらさげた彼は、単刀直入にそう言った。

「え、どういうこと」

「会社に連絡が来て、おととい会食した取引先の人が新型肺炎陽性だって。いちおう自分も検査して、結果が出るまで自宅待機」

と、西は暗い顔をしていた。その表情を見て、なんとなく事態の重さを感じ、緊張する。

「検査って……、え、結果出るまでどのくらいかかるの」

彩子が訊くと、

「明日には分かるらしい」

と答える。疲れた顔をしている。

「そんなに早く分かるの?」

「今は早いよ。先方からの連絡が来たのが午後だったから、一日持ち越しになっちゃったけど、午前中に連絡をくれていれば、今日のうちには分かったらしい」

「あ、そうなんだね。体調はどう?」

「ぜんぜん。普段と変わらない」

「でも、無症状とかもあるんでしょ」

「どうだろ」

「もし陽性だったら、どうなるの」

「いや、体調変わらなければ、ふつうに家で仕事させられるんじゃないかな。そういう人も結構いるし。もし何かあったら病院行くけど、以前みたいに隔離とかはないと思うよ。症状が出た人も、ふつうに家にいたから。あ、いちおう、これ買ってきた」

と、西は思い出したようにコンビニの袋から中身を取り出した。ゼリー状の食べ物や経口補水液などが出てくる。

「わたしは問題ないよね」

彩子は確認した。ニュースなどで、あまりにも厳しく行動制限を広げると社会がパニックに陥るのではないかと誰かが言っていたのを思い出す。聞き流していたそういう言葉が、突然実感をもって響いてきた。

「あー、俺の結果が出るまではお休みもらったほうがいいかも。念のため」

当たり前のことのように、西が言った。

「え」

彩子は、味噌汁をつくっていた手を止めた。

「どのみち明日の午前中には結果が出るから、それから出勤すればいいよ」

と、西が言う。

「『それから』じゃ困るんだけど」

彩子は言った。

「え、なんで」

「テラス出しの担当だから」

自分が行かなければ、もうひとりのバイトの主婦が、ひとりで準備をすることになる。椅子はともかく、テーブルはとても重い。

「でも、不透明な状況で接客するのはどうだろう」

西が言った。

「西くんの結果が出るまでは、わたし関係なくない？　それでわたしが一日稼げないのはおかしいよ」

稼げない、とつい口にしてから、そういうことだと思った。自宅待機になったところで西の月給は変わらないが、自分は時給で働いているのだ。

「いや、事務とかならまだしも、飲食だろ。客に向かってしゃべるしさ。客にも店にも悪いんじゃないの」

西の言うことはすべてもっともだと思うが、彩子は納得がいかない。

「別に西くんが新型肺炎にかかってるって決まったわけじゃないし、わたしが感染（うつ）ってる可能性なんて、ほとんどないじゃない。『もしかしたら』っていう理由だけで、わたしが休むっていうのはおかしくない？」

するとと突然、

「休んだ時間分の時給は僕が払ってもいいよ」

と西が言った。

「まって、お金じゃないよ。今、この時間に急に言われても、わたしの代わりを探すのが大変すぎるから無理なんだよ」

「大変なら、なおさら今すぐ言ったほうがいいんじゃないの。他の人を探すためにさ」

「今から見つからないでしょ！　もう四時だし」

彩子はそう言いながら、自分でもびっくりしたことに、なんと涙を流してしまった。

なんでこんなことで泣くのか自分でも驚いたし、西もまた驚いた顔をした。

「彩ちゃんの責任感は分かるけどさ、濃厚接触の可能性があるのに出勤するほうが無責任じゃないかと思うよ。どんな仕事でも、こういう事情だったら結果がはっきり分かるまで自宅待機するのが、客とか、同僚のためにもなるんじゃないの」

諭すように、西が言った。

ひと呼吸置くと、いや置かないまでも、西の言うことが正論だと思った。だけど、こういう立場になってみて初めて、色々ごまかして出勤している人だってたくさんいるだろうと思った。

さっき、売り言葉に買い言葉でお金じゃないよと言ったが、いや、やっぱりお金だ。彩子は思う。お金を稼げる機会をつなぎ続けることが大切なのだ。西より、自分のほうがよっぽど、お金にこだわっている。でも、正論を、正論のとおりに実行できる人は、恵まれているのだ。家に濃厚接触者がいることを伏せてでも出勤しなければ、その日の時給がもらえない。それが彩子の今の働き方だった。

「もうこれだけ新型肺炎が広がって、濃厚接触の話なんかあちこちでよくあることだから。なんなら僕が陰性だっていう連絡がきたらすぐに出勤すればいいじゃないか。昼前には出られるよ」

と、西が言い、彩子は「そうだね」と小声で答えた。感染症を広めないことが第一だというのは、分かっていた。軽はずみな行動をした人たちが、あちこちで非難されている世の中だ。みんなでちいさな可能性を潰していかなければならない。

「いつまで続くのかな、こういうの」

「いつか終わるよ。『あの時は大変だったね』って、みんなで言い合うようになる」

「そうだよね。でも、そもそもわたし、店長にも誰にも、一緒に住んでいる人がいるって話したことないから、どう言おうかな」

彩子が言うと、

「え、そうなの」

西が驚いたように彩子を見た。

「そうだよ」

「じゃあ、僕のことを婚約者って言っていいよ」

と、西が言った。

顔をあげると、西の目は澄んでいた。

「婚約者と同棲してるって言えばいいじゃん。実際それでもいいし」

「それでもいい？」

「結婚してもいいよ」

と、西が言った。彩子は戸惑い、西を見た。その視線を受けるようにこちらを向いた西はちょっと口をすぼめ、そういうことだよ、というふうに、ちいさく頷く。照れた目をしていた。

「え」

　ちょっと待って、と彩子は思う。今、わたしはプロポーズされたのだろうか。求婚というよりは、許可を出された感じがしたが。

　それでも自分の中に、ほっとする気持ちが湧き上がっていることを否定できなかった。いいの？　とすら思ってしまうことが。

　ちょっと前まで、死ぬかもしれないとまで思い詰めていたのだ。安心安全な生活もたらされるならば、たとえそれが「許可」だったとして、断るなどという選択肢があるだろうか。

　彩子の沈黙を、感極まっているとでも思ったのか、西は優しげに目を細めて見守っている。

　本当に優しいのだ、彼は。そのことは分かっている。

　彩子は、自分の心の中のざわめきを、憎んだ。

　五秒でこのざわめきを沈めて、ありがとう、と伝えよう。許可されたことに感謝し、プロポーズを受けよう。

　未来の夫になるのだろう西の、善良な瞳を見つめながら、彩子はゆっくりとカウントダウンを始める。
　五、四、三、二、一……

板倉麻衣

朝はまずは窓を開けて　太陽を体じゅうに取り込みます
体内時計ON！
Today's My Aroma 1：Sun

まだ眠い頭　リフレッシュしたいから
ちょっとだけ丁寧にコーヒーを淹れる
Today's My Aroma 2：Coffee

コポコポコポッと湯を注ぐかわいらしい音に重ねるように、「朝っぽい曲」と名付けたファイルに入っている音源から選んだ気に入りのものを挿入する。これらは麻衣が愛用している動画編集ソフトにもともと入っているBGMで、今日作っている動画には、水が流れるような音の重なりが美しい音楽を挿入した。

「朝っぽい曲」で始まり、途中でオープニングの短い動画をはさむのが、麻衣のVlogの定型だ。

画面を切り替え、麻衣は自分自身の映像を入れる。

「おはようございます、こんにちは、こんばんは。『Mai の香水日和』のMaiです」

お決まりにしている挨拶をしてから、ベッドの上であぐらになり、わざとらしく伸びをして見せる。

麻衣の視聴者は、ほとんどが同世代の女性だ。女性こそ、きらきらした女性や、素敵なライフスタイルを送っている女性に憧れるものだ。それが分かってから、麻衣は撮影に使う自分の部屋を変えた。それまであふれかえっていた色味の多い私物を納戸や押し入れに移し――同居している両親にはさんざん文句を言われたが――、画面うつりを第一に、光がいっぱい差し込む白い清潔な空間にして、花を飾った。

「いつもご視聴ありがとうございます。今日ですが、香りをテーマに、わたしのモーニングルーティーンを紹介していきます。モーニングルーティーン、今回で三本目ですが、今回は小物の使い方などに着目してみました。最後までご覧くださいね。では、続きを、どうぞ！」

と言ったところで、今度はもともと撮っていた別の動画ファイルにつなげる。フォントを選び抜いた「Today's My Aroma」というタイトルページを三から七まで順に挿入していき、ところどころ音楽を変える。何度も作っているから、手慣れたものだが、画面の切り替えには神経を使う。

モーニングルーティーン動画というのは、朝の習慣的な行動を録画し、短い説明書きを、音楽にのせてまとめたものだ。ビデオで記録するから「Vlog」と言われている。だいたい毎日、麻衣はちょこまかと動画を撮影している。そして、時間を取って編集している。誰かに手伝ってもらったりはせず、すべて一人でやっている。流行をおさえつつ、追い過ぎない。カメラの撮り方、選択する音楽とのマッチング、フォントのセンス、全体の色合いのエモさ。同世代のクリエイターが作っている様々な動画を見て研究し、香りにからめるところで個性を出した。登録者数が千人を超えたあたりから、反響に手ごたえを感じ始めた。一万人を超えると、コメントとともにお金を振り込んでくれるファンがちらほら現れる。企業からの宣伝依頼メールも増えた。そこからは、動画を出すたび登録者数が伸びた。動画の再生回数とそれによる収益は、麻衣の大きなモチベーションになり、もはや本業が動画制作である。

動画編集が一段落したところで、麻衣はスマホに来ていたメッセージに気づいた。

愛美からだった。


麻衣ちゃん！　このたびは本当にありがとうございます。

連絡をもらうまで、麻衣ちゃんがインフルエンサーになってたこと知りませんでした。

そして、まさかうちのダンナの商品を紹介してくれるとは……

あの時は、ダンナのことで麻衣ちゃんに泣きついてしまいました。色々相談にのってくれて、本当にありがたかったです。

麻衣ちゃんのお力添えで、売れ行きが大幅アップしました。本当に驚いた。泣きそう！

忙しいとは思うけど、新型肺炎ももう落ち着いてきたし、対面で会えたらいいな。

もちろんまだ少し心配ならＺｏｏｍでも。どちらでも構いません。時間を作っていただけると嬉しいです。


愛美からのメッセージを、麻衣は何度も読み返した。親しみと節度が共存した、しっかり者の愛美らしい文章。彼女に感謝してもらえたことが、麻衣は心から嬉しかった。「インフルエンサー」と呼ばれた誇らしさで、自然と頬が持ち上がっている。

数年前の麻衣は、こんな未来を予想していなかった。会社を辞めてからもずっと親元に暮らし、趣味の延長のようなライター業で小遣い稼ぎをしていたが、何をしていても心のどこかで、今の自分は本当の自分ではないと感じていた。その頃もいろいろなSNSをやっていたが、フォロワー数は少なかった。自粛期間中に動画クリエイターとして本気を出さなければ、自分は今もまだライター兼趣味のブロガーとして、悶々としていたに違いない。

今もまだ、動画の再生回数にもやもやするし、方向性にも悩んでいるけれど、協賛を申し出てくれる企業が現れ、一緒にアロマキャンドルや香りつきの肌着の開発をするなど、仕事の幅が広がった。インフルエンサーと言われるとこそばゆいけれど、少しずつなりたい自分に近づいている気はする。

動画作りを始める前から、「香り」を特技にしたいと思ってはいた。新型肺炎騒動が始まる数年前に、大枚をはたいて、アロマ検定のスクールに入学し、資格を取った。その頃は、そのスクールの講師になりたいとも思っていた。アロマスクールで学んだことや、教室の小話などをブログに綴ったが、アクセス数は少なかった。

そうこうしているうちに、スマホに流れてくるニュースで、中国で発見された新しい肺炎のウイルスが、じわじわと日本に入ってきていることを知った。旅行中のクルーズ船の中で新型肺炎陽性者が現れ、乗客が船内での待機を余儀なくされたという。テレビや新聞に触れない麻衣は、しかし世の中の動きをそれほど深刻にとらえていなかった。

少したつと、麻衣が、より難易度の高い資格に挑戦するため通い続けているアロマ検定スクールの生徒たちがちらほらとマスクをするようになった。先生が、換気のためにとまだ寒い季節なのに教室の窓を開けるなどし始めた。

ある日、麻衣が通っているホットヨガスタジオで陽性患者が出た。まだ珍しい時期だったので、テレビで報じられ、スタジオは営業休止となった。自分が普段から通っている場所がテレビに映って、その前からリポーターが報道しているのを見るのは新鮮で、不謹慎ながらも麻衣の心のどこかがはしゃいだ。

翌週、なんということもなく、その話をアロマのレッスン中に皆にした。面白おかしく聞いてもらえるかと思いきや、場は凍りついた。

その次の回に行くと、参加者の数が減っていた。ふと気づくと、マスクをつけていないのは、麻衣ひとりだった。むきだしの口で麻衣がしゃべると、おびえた表情を見せる者がいた。Mizuna先生から直接、何か症状は出ていないかと訊ねられて初めて、麻衣は皆の怯えの意味を悟った。自分が感染者として疑われているという可能性を、全く考えていなかったのだ。

麻衣が話したことが原因ではないだろうが、その翌週からレッスンはオンラインに変わった。香りを調合するなどの実践演習ができなくなったが、授業料の返還はなされなかった。ばかばかしくなり、麻衣は途中からオンラインレッスンを受ける気を失った。ブログの更新もやめてしまった。

ほどなくして政府が緊急事態宣言を発出し、さらに自粛の空気が加速した。先々に予定していた外食の予定はすべてキャンセルとなり、母親と行こうと思っていたハワイ旅行の計画も立ち消えた。

一方で、自粛生活が始まったおかげで、ライターとしての麻衣の仕事は増えた。おそらく、外出自粛を余儀なくされた人々がネットを見る時間が増えたのだろう。とにかくキャッチーな記事を、書けるだけ書いてほしいと言われた。

アロマ検定のスクールを離脱したこともあり、麻衣には時間があった。原稿執筆に、精力的に取り組んだ。といって、やっていることは有名人や無名人のTwitterを見まくり、ブログを読みまくり、ネットニュースを見まくること。その中から面白そうなネタを抽出して、適当に書きつなぐ。取材も裏取りもしないこういう文章を、「コタツ記事」というのだと知ったのはその頃だった。

反響はそこそこあった。しかしいつの時も、ランキング一位を飾るのはエロ記事かゴシップ記事で、しだいに麻衣は虚しさを感じ始めた。

しばらくすると、原稿料の支払いを、アクセス数をもとにした歩合制にすると言い渡され、麻衣の記事の単価は下がった。納得のいかないとりきめに麻衣が抗議すると、担当編集者が、経営陣がごっそり入れ替わったことを教えてくれた。新しい経営陣は、ＡＩに記事を執筆させるシステムを作り出そうとしており、社を挙げてその方面に投資することになったという。

それを聞いた時、麻衣の心によぎったのは、

——ま、ＡＩにもできるだろうな……

という、乾いた諦観だった。

彼女を自分に依存させる恋愛テクニック11選
これを言えば「運命の人」だと思われる　誰にも教えたくないワード7選
狙った女を確実に落としてきた男が語る「女を沼らせるハック」の価値が課金モノ

これらは、新型肺炎が広まってから麻衣が書いたコラムの中で高ランク入りしたものだ。こんなものを読む人たちは、いったい何を考えているんだろうと思いながら書いた。笑いながら読むならまだしも、本気で参考にされていたら引く。書き手でありながら麻衣は読者をバカにした。バカにしながら、「彼女をたくさん喜ばせた後に、突き放しましょう」とか「安心と不安を交互に与えて彼女の心を揺さぶるのです」などと書き続けた。

まじでこんなの参考にして女性に接する男は一度死んだほうがいいな、と毒づいたり嘲笑ったりしながら書いていたのは最初のうちだけで、五十本、百本と載せていくうちに、心のどこかが死んでいった。そして、こういうものを書こうとすると、女性を物としてしか扱っていないような男の目線を内在化せざるを得なくなった。麻衣の心が死ねば死ぬほど、アクセス数は良くなった。心のないＡＩが担当すればいいと思った。

こうした記事に差し込まれるのは、たいていエロサイトの広告だった。たまにインチキ美容機器の広告も載った。批評的な視点を加えたり、皮肉をつけ足したりすると、編集部の判断で削られた。著作権なんてものはなかった。麻衣の書いたものは、提出した瞬間に麻衣のものではなくなる。そういう契約だ。抜粋され、つぎはぎにされて転載され、エロ記事の広告に挟まれても、麻衣は気にならなかった。ＡＩの代わりに書いているようなこれらの記事に、愛着などなかったからだ。

たくさん執筆したところで、文章がうまくなるわけでもなく、名前を売ることからも遠ざかる。気づいたら、以前契約していた大手サイトからの依頼は立ち消えていた。他に麻衣をライターとして起用してくれる配信会社はなかった。

文才がないのだから仕方がない。それ以前に、そもそも文章を書くことがそれほど好きでもなかったのだから、と、麻衣はいつしか開き直った。さすがにこの歳で無職になるのは恥ずかしいと、それだけの理由でやっている仕事なのだ。

自分が、同居している親に甘えすぎていることは分かっている。彼らはネットに疎いこともあり、「締め切りがあって」のひと言でなんとなく娘は頑張っていると思ってくれている。父親の書斎から聞こえてくるオンライン会議の声に、いつまでこんなふうに脛をかじっていられるのだろうとたまに不安にもなる。

そんな気持ちを込めて、ある時「好きなことを仕事にして自己実現したいという呪縛」という記事を書いた。編集部の検閲を逃れ、なぜか記事はそのまま載った。エロ広告に挟まれながら載ったその記事を画面で確認した時、麻衣は、なんだか涙が出そうになって、そんな自分に驚いた。アクセス数は少なかったが、麻衣は学生時代の自分が「好きなことを仕事にして自己実現したい」と思っていたことを思い出した。

いつのまにか、自分が何を好きなのかさえ、分からなくなっていた。

転機は、同期の愛美からのラインだった。

「相談があるのでＺｏｏｍで話せないか」と言う。延期された五輪が終わった頃だっただろうか。ほかならぬ愛美から「相談」を持ち掛けられたことが、麻衣は嬉しかった。役に立ちたいと思った。同期からの相談なのに、まるで面接を受けるような緊張感さえ持ちながら、麻衣はＺｏｏｍにアクセスした。

画面越しに見た愛美の顔は少し疲れて見えた。

相談ごとというのは、愛美の夫が勤めている飲食店のことだった。

それまで麻衣は愛美の夫についてほとんど知らなかった。今回の「相談」にあたって、詳しく教えてもらったところ、創作洋食のチェーン店に勤めているということで、麻衣はＺｏｏｍの画面に映らないように、スマホでこっそり店名を検索した。

チェーン店といっても都内に数か所しかなく、麻衣の知らない店だった。ファミレスほど親しみやすい感じでもなく、高級店というほどでもない。だが、客からのクチコミは良く、写真の料理はおいしそうで、自粛期間より前に教えてくれれば足繁く通ったのにと思った。

今はそんなことは言っていられない。席数や坪数からしても、政府が出してくれる協力金ではとても足りない規模である愛美の夫の店は、この先、家賃を払い続けることが苦しくなりそうだとのことだった。

「麻衣ちゃん、いろんなサイトに記事を書いてるって言っていたじゃない。そういう、マスコミとかに、ツテってないかな」

画面越しにそう告げる愛美は、困ったような笑みを浮かべていた。そして、

「主人の店、本格フレンチセットを通販することになったの。食材とレシピを通販で送って、ネ

ットで見られる動画とタイアップして。面白い企画だと思うんだ」

と、急に早口になった。

麻衣は一瞬黙ってから、取り繕うように、

「へえ、面白そうな企画だね。じゃあ、出版社の担当との打ち合わせの時に、それとなく宣伝しておくね」

と、言った。

画面の向こうで愛美が手を合わせていた。

「本当にありがとう。ごめんね、こんなこと頼んじゃって」

麻衣の心は痛んだ。

「出版社の担当」との打ち合わせの予定などなかった。見栄をはりたくなってしまったのだ。「担当」なんて、もはやいなかった。以前「担当」だった人からは、新型肺炎になってしまったのでしばらく休みます、という連絡がきたきりだ。その後、違う人から連絡があり、今後は原稿を指定されたアカウントに送るように言われた。集められた原稿の仕分けも校正も、今はAIが行っている。

そんな状況でありながら、「出版社の担当との打ち合わせ」なんて、よく言えたものだと自分に呆れる。期待させてしまったことへの罪悪感と、役に立てない自分への情けなさで、急に悲しくなった。

その日、麻衣は久しぶりにブログを書いた。

今後どうやって生きていくべきなのか、いつまでこの仕事をやっていくべきなのか、真剣に考えながら書いているうちに、それは自分でも驚くくらいの長文になった。それまでもたくさんの記事を書いてきたが、感情を込めて、自分の文章を書くのは本当に久しぶりだった。

愛美の知らないブログだから、何を書いてもいいと思った。

――いつまでこのままでいるつもりかという不安がいつもあるんだけど、これ死ぬまで続くのかな？――

素直に気持ちをつづった記事をアップした。

数日後、麻衣は驚いた。アロマ検定のスクールに通っていた時のアクセス数よりも、ずっと多くの人たちに読んでもらえたからだ。共感や励ましの感想もたくさん寄せられた。ネットを徘徊し、抽出したネタをつなぎあわせて書く記事に比べて、心のうちをつづっていくのは本当に充実した時間だった。

SNSをちゃんと頑張ってみようか、と麻衣は思った。

人とつながり、人に影響を与えられる仕事をしたかった。もともとそういう憧れがあったので、手作りで色々やっていた。ブログ、Twitter、Instagram、ピンタレスト……。香水にまつわるあれこれから、見た映画の感想、美容の情報など、日常的に心に浮かんだものをとりとめもなくブログにつづり、Twitterで宣伝する。Instagramでは、映えそうなカフェや美術館をめぐったり、レンタルした服を何パターンも組み合わせてみたり、小物を並べたりした。新型肺炎が流行る前にも、麻衣はそうした活動をコツコツやっていたのだが、いまいちフォロワー数も閲覧数も増えず、やりがいを見いだせなくなっていたのだ。

何か新しいものをやってみよう。

動画を撮ってみようかと、ふと思いついた。

顔を出すか、出すまいか。最初は少し悩んだ。それまで麻衣は自分の姿を伏せて投稿していた。顔をうつさずに服のコーディネートを載せたり、帽子を深くかぶったマスク顔を載せたりといった具合に、慎重にぼかしていたのだ。

しかし、メインユーザーが十代〜二十代前半と言われる動画再生アプリを見てみると、麻衣よりずっと歳若いユーザーたちが屈託なく顔を載せていた。水着と見まごう露出度の高いドレスを披露していたり、美容整形の体験談を語っていたりと、やりたい放題のデジタル世代を見ていたら、なんだか心が吹っ切れた。どうせ自分の知り合いは誰も見ていないし、自由にやってみるかと思った。さらに彼女を勇気づけたのは、動画アプリの中にある「顔面補正機能」である。なるほどこれが肌を滑らかにととのえて、目鼻の良い部分を強調してくれるのか、と感動した。実物よりも何割かましな顔になれるのならば、人に見せたくもなるだろう。

トレンドの「急上昇」の一番上にあった音楽を使った。編集作業まで入れて、三十分とかからなかった。軽く作って、軽く載せた。過激な動画クリップの中で、自分の出したものなどすぐ埋もれるだろうと思っていたら、どういうわけか、あれよあれよと再生回数が伸び、あっという間に一万を超えた。嘘でしょ、と思っているうち、二万回を超えた。

同じような動画をいくつも載せて、「33歳」という年齢も公表したところ、年下の女の子たちから「若い！」「可愛い！」と絶賛された。気を良くした麻衣は、さらにダンスをしてみたり、変顔をしてみたりと、いろいろやった。フォロワー数はみるみる三万に達した。

DMに企業からのPR案件が舞い込むようになった。ひとつふたつ来ただけでも嬉しかったが、ある朝DMボックスを開けたら四十件以上入っており、突然、世界が開けた気がした。

麻衣はすっかり自信を持ち、今度は自分の動画チャンネルを開設した。

部屋のあちこちを動画に撮って紹介する「ルームツアー」をやってみた。これもまた、動画再生アプリのフォロワーからの要望が理由だった。「Ｍａｉさんのお部屋をもっと見たいです！」「ルームツアーしてください！」年下の女の子たちに請われたのだ。

部屋のあちこちを解説つきで撮ってみたものの、思ったように再生回数は伸びなかった。登録者数も、こちらはなかなか百人に届かない。おかしいなと思って、パウンドケーキを作る動画をアップした。それでようやく登録者数が百人に達したが、百二十人で止まってしまう。動画再生アプリのほうはすでに三万人以上のフォロワーがいるというのに。アプリの三万人にさんざん呼びかけたが、どうも彼らは動画チャンネルの登録をしてくれない。どうしてなのか、その時は分からなかった。

今は分かる。動画のクオリティが低すぎたのだ。

秒で終わる動画再生アプリに比べて、十分間、じっと見させる映像作りは難しい。映像の美しさ、面白さ、音楽とのマッチ、心ひきつけるコメント、あるいはトーク。そうしたものがすべてマッチして初めて魅力的な動画になる。そこにファンがつく。

部屋全体を撮るならまだしも、なんとなくプライバシーを気にしてしまい、芸能人風にごく片隅の数か所をズームで撮っただけだった。そんなのっぺりした映像に需要があるはずもなかった。

再生回数が伸びなかったので、やっぱり十分もする動画制作はやめとこうと思って、元の動画再生アプリに戻った。麻衣は新しく買ったコスメをもとにメイク動画を投稿した。すると、驚くほど反響が少なかった。このことに麻衣は狼狽した。

こんなに早くブームは去るのか。

秒で終わる動画だからこそ、皆が簡単に反応し、大きく動いたのだ。知られてしまったらもう終わり。珍しさのない麻衣の動画から、年下の女の子たちは一気に離れた。再生されなければオススメコーナーで取り上げられることもなく、回数が伸びなければ、こんなものかと初見の人にも低く見られ、ますます置いて行かれる。その間にも、新参者が新しい動画を次々に投稿し、あちこちで、麻衣が体験したプチバズりのあぶくが弾けている。一瞬でも、浮かれた自分が恥ずかしかった。そんなことがこれまでも繰り返されてきたのだと、麻衣は知った。

それまでの麻衣なら、この時点で活動を放棄しただろう。

だが、麻衣は諦めなかった。時間はたっぷりあったし、エロ広告ばかりの中に安い記事を書くよりは、もう少し動画作りを研究したいと思った。それで、同年代の女性が作っているVlogをひたすら研究したのだ。

改めて見てみると、芸能人でもモデルでもない女性が作る動画の中に、容姿と生活の断片を晒すだけで万単位の回数再生されているものがたくさんあった。一方で、いろいろと頑張って撮っているだろうに、再生回数が百回にも届いていないVlogも山ほどあった。麻衣はそれらを見られるだけ見て、どこが違うのかと考えた。だが、明確な差は分からなかった。こんなものが？と思う内容の動画が受けていたり、もっと人気が出ても良いのにと思う動画があまり伸びていなかったりした。

いろいろ見た結果、麻衣は決めた。

それは、「考えすぎない」「どんどん出す」というシンプルなものだった。

実際に、そうやってどんどん動画を出していった人たちだけが生き残っているように見えた。

もちろん、再生回数百回にも届かない動画を毎日出している人もたくさんいた。だが、出せば出すだけ、バズる確率が増えるのも真理で、たまたま何かで一発あてた人が、登録者数を増やしていた。

麻衣は『独身アラサーMａｉの香水日和』というタイトルをつけた。思い切り自分の属性をさらすことにしたのだ。そして、せっせと動画を作り、とにかく発表していった。スムージーを作ったり、メイクをしたり、断食したり、ネットで部屋着を買ったり、メイクを取ったり、ピアノを弾いたりした。

長いこと無風だった麻衣の動画チャンネルが初めてバズったのは、母親のために香水を作って、アトマイザーを選んだ回だ。アトマイザーというのは、香水を入れる小さな容器のことで、麻衣はこれを集めるのが趣味だったから、百個以上持っている。アトマイザーのコレクションを披露すると、とても面白がられた。娘からのプレゼントを受け取って喜ぶ母の姿も好評で、「美人ママ」「仲良し母娘」ともてはやされた。そうして感想を見た母親が、ものすごく喜んでいたのも意外で、嬉しかった。以降は、どんな動画を作る時も、その日の香りとアトマイザーを紹介することにした。動画の軸を決めて、音楽や映像の色味などにこだわり、サムネイルを丁寧に作ったら、アクセス数も収入も安定してきたのである。

愛美から連絡をもらってから、ちょうど半年が過ぎていた。半年間。思いがけない速さでバズれたとも、すごく頑張ってなんとかようやくここまで来られたとも思った。

麻衣は、愛美の夫が企画したという「シェフの料理を自宅で再現セット」の一番安い「2人分4800円」を購入した。

最初は、とにかく愛美の役に立ちたいと思っていた。愛美に認められたいという気持ちがあった。

だが、購入したセットが冷凍便で自宅に届いた時、麻衣の心の中に不安がよぎった。

もし美味しくなかったら？　それでも紹介しないといけないの？　そもそも、一人前二千四百円の冷凍食品ってどうなの？　割高じゃない？

不安に思いながら、麻衣は調理過程を録画した。料理がそれほど得意ではない麻衣でも、なんとか作れる内容だった。できあがりを皿に盛り付けると、なかなか見栄えが良く、ありがたいことに、本当にありがたいことに、「シェフの料理を自宅で再現セット」の三品（きのこの濃厚スープ、豚バラ肉のコンフィ、チーズスフレ）はどれもとても美味しくて、二千四百円ならばむしろ安いのではないかと、心から思えた。

我知らず、

「ああ、よかった！」

というつぶやきが漏れた時、麻衣は、いつしか自分の中に、自分の登録者を大切に思う気持ちが生まれていることに気づいた。

『独身アラサーMaiの香水日和』は、わたしのメディアだ。登録してくれた人たちのためにも、自分の名前に恥じないものを取り上げていかなければならない。

「シェフの料理を自宅で再現セット」は、愛美のための宣伝であると同時に、自分のチャンネルを豊かにしてくれるコンテンツになり、結果的に動画を見てくれた人に良い情報を提供することができる。その素敵な流れに気づいた時、麻衣は初めて、仕事において、名前を売ったりお金を稼いだりすること以上のよろこびを感じた。

いつも以上に、音楽や映像の色味などにこだわり、できあがった料理がおいしく見えるように努めた。他の動画に比べてアクセス回数が多かったわけではないが、「おいしそう」「私も注文してみます」といったコメントが来た。

動画をアップしてもしばらくは、麻衣は愛美に黙っていた。再生回数が伸びてくれるかどうか心配だったし、いやがらせのようなコメントが来るのを危惧したからだ。

悪いコメントが一つもないことを確認してから連絡すると、愛美はすぐに確認し、とても驚き、ものすごく喜んでくれた。


——麻衣ちゃんのお力添えで、売れ行きが大幅アップしました。本当に驚いた。泣きそう！

忙しいとは思うけど、新型肺炎ももう落ち着いてきたし、対面で会えたらいいな。


愛美からの返信の「泣きそう！」という文字を見て、麻衣こそ泣きそうになった。あの愛美が「泣きそう！」だなんて。そんなエモーショナルなことを言う子ではないのに、よほど夫の仕事が心配だったのだろう。

麻衣は、愛美に認めてもらえた気がして嬉しかった。まだまだインフルエンサーと言えるほどではないけれど、自分が作った動画のおかげで愛美を少しでも助けられたなら、この活動を頑張ってみてよかったと、麻衣は心から思えた。

——役に立てて良かった！　お礼なんて全然いいけど、私も愛美に会いたいからぜひ！


麻衣は愛美にメッセージを送った。

同期なのに、愛美に送る文章は、ちょっと堅苦しい感じになってしまう。

そろそろ皆で集まりたいなと麻衣は思った。

季節は暖かくなり、新型肺炎終息への道すじが見えてきた気がする。昨日のテレビで、外国人観光客の受け入れに向けて旅行会社がぞくぞく準備を始めているという報道があった。

明るい気分になった麻衣は、指先を軽やかに動かして、スマホのスケジュールアプリを開いた。


それからふた月が経った。

今年のゴールデンウィークは、二年ぶりに新型肺炎ウイルスによる緊急事態宣言が発令されず、そのため、前年を大きく上回る旅行客が日本中にあふれた。

特に首都圏近郊の有名な観光地は、前年どころか、新型肺炎が広まる前よりも人の出が増えたという。二年間自宅に軟禁されていた人々の心の中で、旅行熱はじりじりくすぶり続けていたのだろう。満室や渋滞のニュースがひとしきりメディアを騒がせた。

そんな中、麻衣は、ゴールデンウィークから日を少しずらし、宿泊料の安い日に都内のホテルに一泊した。「三十代女子のひとりホカンス」というテーマのVlogを撮影するためである。

ホテルで過ごすために、シトラス系の清潔で上品な香りと、ウッド系の自然で優しい香り、の二種類を持参した。シトラス系はストレス解消につながるし、ウッド系はリラックス効果が期待できると言われている。安眠のための香水作りというVlogをいつか作ろうと思っているが、その前置きのような感じで、紹介しようと決めていた。

動画投稿がそれなりに支持を集めるようになってから、麻衣はミラーレス一眼レフのカメラを使っている。小型で可愛らしい形状でありながら、きめ細かい映像が撮れる。

窓からスタイリッシュなオフィス街を見渡せる有名ホテルを選び、夕食はルームサービスにした。くつろぐ様子、食べる様子、メイクを落とす様子……カメラで適宜、ポーズを整えつつ撮影した。録画したものの確認をしつつ、色調などに手を加えてサムネを作る。ホカンスを謳いながらも実際はほとんど寛いでいない。しかし、なかなかいい絵が撮れたと満足している。

実を言えば、この少し前にやったオンライン飲み会で、麻衣は大学時代の友人たちをここに誘っていた。一年時の語学クラスで仲良くなった五人グループの子たちである。だが、実現しなかった。家庭を持つ子も独身の子も、皆それぞれ忙しそうだった。

提案したのに、誰ものってきてくれなくて、麻衣は正直めげていた。女ともだちと一緒にいる自分を動画におさめたいというひそかな野心もあったけど、それだけではなく、本当に、他愛もないおしゃべりをしたい気分だったのだ。

いつしか、窓の外のオフィス街はすっかり暮れていた。窓ガラスにひたいをあてて、真下を見ると、帰路へと急ぐビジネスマンたちの姿が小さく見える。麻衣はなんとなく心が暗く沈んでくるのを感じた。

どうも、自分には人望が欠けている気がする。

友達は多いほうだと思っていたが、こういう時に一緒に宿泊してくれる人がいない。

学生時代に付き合った男から「人を大事にしない」と批判されたのを思い出す。そんなつもりはなかったが、わたしってほんとは皆にそう思われてるのかも……と気分が落ちていく。

その後、バスソルトを入れた、いいにおいの湯につかっても、撮影用に持参したシルクのパジャマに着替えても、気持ちが晴れない。

「好きなことを仕事にして自己実現したいという呪縛」という、いつか書いた記事のタイトルを思い出す。まさにそれを今かなえつつあるのに、好きなことを仕事にしつつあるのに、満足しきれないのはどうしてだろうと考える。

こういう時に、なんでも話せる友達がほしいと思った。ベッドでごろごろしながら、気さくに笑い合ったり、時に深い話もできるような。

風呂から出ると、麻衣はすべての香りを脱いだ体に、新しい香水をつけた。安眠を誘うというウッド系の優しい香りだ。この香りに包まれて眠るために、ボディソープも、シャンプーもトリートメントも、すべて無香料のものを持参していた。そうした小物について、説明も含めてすべて録画したその後で、麻衣は思い切って冷蔵庫の中にあった小さな白ワインボトルのなかみをグラスに注いだ。

ごく、ごく、ごく、と三口大きく飲んでから、麻衣は愛美にメッセージを書いた。

――今、話せたりする？

送信ボタンを押してから、急に緊張が押し寄せる。

というのも、麻衣は愛美となかなか会う日を決められないまま今日まで来てしまったのだ。

あんまり考えたくないのだが、愛美は、本当は自分に会いたくないんじゃないか。

うっすらと、そんな考えがわく。

夫の店の商品を宣伝してくれたことへの礼を言いたいという愛美に、麻衣は、一緒に会う日を二、三日ほど提案したのだが、都度やんわりと断られた。仕事が忙しいのか、「落ち着いたら連絡する」と言いながら、以後愛美からは音沙汰なしである。

夜の十一時。平日だから愛美はもう仕事を終えて、とっくに帰宅しているはずだし、さすがに子どもの寝かしつけも終わっているんじゃないだろうか。

じりじりと愛美の返事を待っているうち、そうやって待っているのが、ばかばかしいような気分になった。

もし手が離せなければ、電話に出なければいいだけだろうし、暇なら電話を取ってくれればいい。

そう思って、発信ボタンを押した。

ワンコールで愛美は出た。

「麻衣？」

と、言った。

「あー、うん。急にごめんねー」

「何かあったの？」

と、愛美に訊かれ、何もないのに電話をかけてしまったようで、心もとない気分になった。

「いや、愛美、忙しそうだけど、新型肺炎も落ち着いたから、そろそろ会う日を決めようかと」

「あー」

愛美がちいさく息をつく。なんだ、そんなことか、と思われただろうか。でも、もとはといえば愛美から、礼を言いたいと言ってきたのだ。

「そう急ぐこともないんだけど、予定がどんどん埋まってきちゃってるから」

麻衣が言うと、

「そうだよね、なかなか連絡できなくてごめんね。いつくらいがいいのかな」

愛美から言ってくれた。

「えーと、たとえば月末の土日とか、どう？」

麻衣は、本当は来週の土日も再来週の土日も空いているのだが、見栄を張って、少し先を提案した。

「うーん、そこは、子どもの運動会があるから。前日も習い事の送迎があって」

そうだった。メッセージのやりとりをしていた時も、「習い事の送迎」というワードが何度も出てきて、予定がポシャったのだ。

「じゃあ六月に入ってからでもいいよ」

「土曜は習い事の送迎があるのと、日曜は午前中にサッカーで。六月最初の日曜はサッカーで遠征の予定なの」

すまなそうに言うが、遠征？　子どもがそんなことをするのかと、麻衣は眉をひそめる。メッセージのやりとりでも、愛美は土日に水泳とサッカーがあって、送迎をしていると言っていた。飲食店に勤める愛美の夫は週末に勤務しているので、家にいないらしい。だとしても、そういうのは周りの「ママ友」といった人たちに頼めないことなのだろうか。

「平日でもいいよ。会社の帰りにちょっととか」

麻衣が提案すると、

「そうだよね。でも、終わりの時間が見えなくて……」

とまた濁される。

なんか、わたしに会いたくないみたい。

麻衣は思ったが、かろうじて口に出さなかった。

「七月に入れば、土日、なんとかなるかも」

愛美が言った。

七月か……

随分先だなと、麻衣は思う。

「今、スケジュール帳を見てたら、七月は土日が五週あるから。水泳がお休みになるんだよね。ちょっと日を調べて連絡するね」

聞き分けのない子を言い聞かすかのような優しい口調でそう言い、

「あ、その時なんだけどさ……菜々ちゃんにも声かけていいかな」

愛美が付け加える。

同期の菜々とは、彼女の新居に呼ばれて以来、会っていない。明るくて、料理上手の菜々にも久しぶりに会いたい。

「もちろん！」

答える声が弾む。

麻衣は別に愛美を独り占めしたいわけじゃなく、女ともだちと集まりたいのだ。愛美とふたりきりだと話が詰まった時に気まずいかもしれないから、むしろ菜々にはいてもらいたい。

七月の、子どもの習い事のない日が分かったら、必ずその日に麻衣たちと会う。愛美の言質を取ると、麻衣はほっとした。

ひとりホカンスのVlogには、「女ともだちとの久しぶりの電話。みんなで集まる約束をする」とコメントを打とうと思う。「好きなことを仕事にして自己実現」しながら、ひとりの時間も大切にし、ちゃんと同性の友達もいて、人生を、素敵な香りと共に愉しんでいる。

そういう自分に、麻衣はなりたかった。

江原愛美

「ママ、終わった？」

そばでずっと母親の話し声に耳を傾けていた息子の優斗がようやく口を開く。麻衣からの電話を切った愛美は、ちいさくため息をついた。

深夜である。電話がかかってくる少し前、麻衣は息子たちを寝かしつけていた。ようやく眠らせたところにかかってきた電話であった。居間で小声で話していると、優斗が寝室から、愛美を探しにやってきた。優斗は、愛美が電話をしているのを見るとほっとしたようだったが、そのまま眠る気にはなれず、何か言いたげにあたりをうろうろしていた。戻って寝るようにと追い払うジェスチャーをすると、泣き出しそうな顔をする。早く電話を切りたくて、愛美はずっといらいらしていた。

同じきょうだいでも、八歳の春斗は一度寝たら朝までぐっすりなのだが、ひとつ年上の優斗は四年生になった今も、ちょっとした物音ですぐ目が覚めてしまう。以前はそんなことはなかったのに、最近ますますその傾向が強まった。

小学校から配布されたお便りに、親が新型肺炎対策に神経を尖らせ過ぎると、子どもが不安定になると書いてあったが、そんな影響もあるのだろうか。

感染者数が連日おどろおどろしく報道されていた頃、優斗は、外で春斗のマスクが口元からずれることをとても心配していた。時おり、はらはらした目で「ママ、新型肺炎にかかってない?」と訊いてくる優斗の姿に胸を突かれ、愛美は、子どものいる時間はできるかぎりテレビのニュース番組をつけず、明るい番組だけ流すようにした。それでも、優斗の瞳はいつも不安げに揺れていた。

子どもたちの前で努めて明るく振る舞っていた愛美の心も、実はつぶれそうであった。

夫の仕事がどうなるのか、先が全く見えなかったし、重い病気は克服したものの体調不良で寝込むことの多い母親のことを思うと不安で仕方がなかった。そんなあれこれを考えてしまうと、どうも心が落ち着かず、愛美はうまく眠れなくなった。睡眠を助けるという市販薬を購入したが、あまり効かなかった。心療内科の病院に行ってちゃんと診てもらうべきだと分かっていたが、その病院で新型肺炎をもらったら、などと考えてしまい、身動きがとれなかった。

最初の緊急事態宣言が発令される少し前から、母は病院に入院していた。新型肺炎の院内感染を防ぐために、病院側は面会を全て禁止した。母に万が一のことがあったら看取ることもできないのか。愛美は、大切な人との永久の別れの可能性がすぐそばにある状況で、日々仕事をしなければならなかった。おまけに夫の店は長期休業に入ってしまった。あの状況で、平静でいられるわけがなかった。

その頃の愛美は、急に白髪が増えたし、いつ見ても目の下に青黒いクマがあった。リモートワークの日々だったし、自分の容姿などもうどうでもよかったのだが、疲れた姿を子どもに見せたことで、優斗の心にダメージを与えていたのではないかと思うと苦しくなる。

幸い母は新型肺炎に感染せず、治療もうまくいった。母が退院し、家と病院の往復でゆっくりと治療をしていくことになった今、ほっとひと息つけるようになったが、といって油断はならず、いつも心のどこかを人質にされた気分で生きている。それはまるで、少しでもよろけたら真っ暗闇に落ちていくような場所で綱渡りをしているような不安な日々だ。そして、ごく身近な大人である母親がこんな気持ちでいることを、息子が感じ取れないわけがないではないかと思う。

思えば優斗は幼い頃から繊細だった。まだ幼児の頃から、愛美が疲れて口数が少ないと「元気？」と確認して甘えてきたり、残業が続いてベビーシッターに預ける日が増えると夜尿をしたり、と不安定だった。新型肺炎の報道がほとんどされなくなった今も、愛美が風呂掃除やベランダに出ていたりで少し姿を見せずにいると、狼狽して探し回ったりする。

全部わたしのせいだ……

最近、愛美は気づくと優斗のことを考えては心を痛めている。

優斗は、学校に通えるようになった今も、あまり楽しくないようだ。学校の話を聞いても、友達の名前が出てこない。もしかしたら、教室でずっと一人でいるのかもしれない。

フルタイムで働いている愛美にはママ友が少ないのだが、保育園の頃に親しくなった母親は数人いて、ごくたまに会って話すこともある。

今は違う小学校に通わせているその母親たちから、子どもが野球のクラブで頑張っているという話や、そろそろ塾通いをさせようかと思っているという話を聞くと、愛美は置いていかれるような気分になる。

野球とか、塾とか、そんな次元ではない。

学校に行きたくないと言われたらどうしようといつも思っている。不安にさせているのが自分のせいだと分かっていても、どうしても子どもにはもっと強くなってほしいと望んでしまう。

最近愛美は帰宅時間をできるだけ早くしているし、会社の部下にも夜九時以降の電話は避けるように伝えていた。息子が不安定な間は、子どもを最優先にしたいと思う。

電話を終えて優斗と一緒に寝室に戻る。優斗が愛美に抱き着いてきた。愛美の全身のにおいを嗅ぐように、ぎゅうっと丸まっている。

年下の春斗のほうが、抱っこしようとすると暑いから嫌だと逃げようとするくらいなのに、優斗はスキンシップを異常に好む。きょうだいのこの差にも、愛美は落ちつかないものを感じる。

春斗のほうは、本人の希望で学童をお休みして、友達と一緒にバスでサッカースクールに通う日がある。怖がりで友達のいない優斗にそんなことはとても望めない。だから、優斗の習い事は、愛美が送迎できる土曜日と日曜日にまとめて入れている。平日の放課後は、優斗は学童保育で過ごしている。

愛美の腕をつかんでいた優斗も、ようやく眠りにつき、寝返りを打って向きを変えた。自分の体の両側から、すやすやとした寝息が聞こえてきた。

自分もこのまま寝てしまおうか。

夫を待ちながらパソコンを立ち上げてメールを見ようかと思っていたが、今起きあがったら、優斗がまた目を覚ますかもしれないし、なんだかもう、起き上がる気力もなかった。

出社すれば雑用が山積みだし、リモートワークでは会議が立て込むし、日々の疲れがたまっているのが自分でも分かる。

仕事と家事のマルチタスクに耐えられなくなった時の自分が、ガス抜きのように喫煙していたことを、愛美はうっすら思い出す。

ある時、ごく平凡な散歩の途中で、優斗に、

――ママは煙草吸うの？

と訊かれた。爆発的に広がった新型肺炎の感染対策のために旅行も外出も制限され、たまの贅沢が公園へのお散歩だった頃。「煙草」という単語が、息子の口から出てきたのは初めてで、愛美はぎくっとしたものの、平静を装って、

――なんで？

と言った。

――なんでもないけど……

優斗は言葉を濁した。

少し前に、テレビのニュース特集で、肺に持病のある人は新型肺炎の症状が重症化する可能性があると報じられていた。テレビはおどろおどろしく伝えていた。死に至る場合もあると、家族で見ていた。そこから来た質問なのかは分からない。喫煙と肺の因果関係が、小学生に分かるのだろうか。それともどこかで誰かに聞いたのか。愛美は、気を付けているのだが、ただ一度だけ、優斗に喫煙しているところを見られた。子どもだから、すぐ忘れるだろうと思ったのだけれど。優斗はその質問を、彼のちいさな心にずっと留めていたのだ。

――もう、吸ってないよ。

本当は、前日にも吸っていたのだが、愛美はそう答えた。

――ふうん。

と、優斗は言った。

――吸わないよ。

もう一度、言った。

そして、その日以来、愛美は煙草を吸うのをやめた。それから二年になる。

子育ても、仕事も、ゆるやかに変化し続けていて、常にストレスに晒されているけれど、そんな中で自分がきっぱり分かりやすく断絶したのは喫煙の習慣だったなと、愛美は思う。

麻衣の用件は、端的に言えば「会いたい」というものだった。

正直、そんなことはラインで送ってくれよ、と愛美は思ったのだが、考えてみたらラインでのやりとりはすでにしていて、日を決め切れなかったのだ。

麻衣には恩があり、むげにすることもできなかった。

初めて緊急事態宣言が出されたあの頃、飲食店は軒並み休業となった。夫が運営を任されていた店舗も例外ではなく、店を閉じ、アルバイトと契約社員に順に暇を出した。正社員にだけは基本給を出していたものの、先が見えない不安はぬぐいようがなかった。レストランは休業中だというのに、人が減らされた会社に残った夫には、総務や人事などの様々な雑務が課され、やつれた顔でパソコンに向かう日々だった。感染の波が押し寄せると、二度目の緊急事態宣言が出され、飲食業はさらに厳しく追い込まれた。笑うことのなくなった夫の姿に愛美は心を痛め、貯金額を確認し、教育費の積み立ての資料を取り寄せるなど、今後の生活についても色々と思案した。

日々ため息をつく夫の姿に、何かできることはないかと麻衣を頼ったのは自分だし、それに対して麻衣は自分の動画チャンネルで夫のレストランの商品を紹介してくれた。

素敵にアレンジされたその動画は今や一万に迫る再生回数を重ね、コメント欄にも「買ってみたい」「やってみたい」といった高評価が寄せられていた。

麻衣に伝えたほど「劇的に」、というわけではなかったが、実際に、動画が公開された直後に売り上げも伸びたと聞いている。彼女が無償でここまでしてくれたことには心から感謝しているし、会って礼を言いたい気持ちは愛美にだってあるのだ。

だけど、言い訳でもなんでもなく、本当に忙しくて仕方がなかった。それで、日にちを決められなかった。

この忙しさというものを、麻衣にどう説明すればいいのか分からない。仕事のない時間は、一秒でも長く子どもたちに捧げたいという思い。麻衣が理解してくれていないのを感じる。だが、子どものいない麻衣に、優斗の不安症や、四年生にもなって母親に抱き着いて眠ることなどを、どう話せばいいか分からない。

麻衣と会う時間を捻出しなければならないことを思うと、愛美は知らずにため息をついていた。会うのが嫌なわけじゃない。むしろ、会いたいはずなのだ。だけど、このため息は何だろう。

疲れているんだな、と愛美は思う。

菜々の家でホームパーティをした頃はまだここまで忙しくはなかった。

急に忙しくなったきっかけは、レシピアプリの『コトコト』が大ブレイクしたからだ。きっかけは、あるテレビ番組だった。ニュース・バラエティ番組が、飲食店の一斉休業により自炊を余儀なくされた主婦たちのQOLを上げようという特集をくみ、レシピサイトや料理アプリを取り上げた。そのラインナップに、『コトコト』が入ったのである。

おまけに、たまたまその番組のゲストの女優が
「これ、いいですよ。わたしも使ってます」

と、紹介してくれた。これは大きかった。後から聞いたことだが、女優の発言は、番組スタッフにとっても予定外のものだったそうだ。その女優は、本当に『コトコト』を愛用していたようで、女性誌のインタビューでも『コトコト』を推してくれていた。

これをきっかけにアプリの登録者数は急増。それに伴い、『コトコト』内のレシピに紐づけら

れている自社商品の売れ行きも上がったのである。

「ひと山あてたな」

そう言ってきたのは少し前に課長への昇進を言い渡された坂東だった。

彼は、自分の取引先に愛美を引き合わせたがり、やたら『コトコト』を使った企画を出したがった。

同期のよしみもあり、愛美も坂東にできるかぎり協力した。オンライン会議も多く、スケジュール調整をしやすかったこともある。実際、坂東が立てる企画には面白いものも多く、坂東の取引先である小売チェーンとコラボして期間限定で『コトコト』セットを販売する企画はなかなか好評で、今も継続中である。

コラボ企画の申し出は坂東からだけではなかった。仕事のあり方を見直さなければならないと考える様々な部門の社員たちが、『コトコト』というツールをうまく使って自分たちの業務も活性化できないかと、愛美に秋波を送ってきた。

そのうち『コトコト』単体でテレビCMを打つ話も出された。それは、深夜時間帯であったが、件(くだん)の女優にオファーし、実現したのである。

この展開に、愛美は驚き続けていた。もともと『コトコト』は、新型肺炎が広まる前はそれほど重要なサービスと思われておらず、企業ホームページの賑やかしみたいな存在だった。単体での売り上げもさほど期待されていなかった。それが、自粛生活が余儀なくされ、夫のような飲食業者が追いつめられる状況と反比例するように、自炊の助けとなる『コトコト』は、ブレイク街道を登っていったのである。

気づいたら、予算は倍増、チーム編成も見直された。昨年九月に『コトコト』企画課は、部に昇格した。愛美には「課長　兼　統括プロデューサー」という、坂東いわくの「いかした肩書」がついた。そして、大原が他部署と兼任でこちらの部長にもなった。

おめでとう、おめでとう、と多くの人に言われたが、実をいえば愛美は、社のこの決定に、内心でもやもやしていた。

大原ではなく自分が部長になるべきだと思った。

自分の昇進こそが正当だという思いは、一緒に『コトコト』を立ち上げたひとつ下の部下を課長に引き上げたい気持ちの延長にあった。

周りを見回せば、坂東だけでなく、西も三芳も、この二年ほどの間に課長周辺のポストに昇格していた。三十代前半で課長か課長代理を拝命するのはこの会社ではノーマルコースである。愛美が一足先に課長になっていたとはいえ、彼らも順当に追いついてきたのである。

一方で、愛美の部下は『コトコト』の立役者の一人だったにもかかわらず、課長代理のひとつ下の主任のポジションのまま昇進が留め置かれている。それは、彼女が女性だからではないか、と愛美は勘繰る。女性の出世株は一人でいいと会社が勝手に調整している、とまで言うのは考えすぎだろうか。

人事調整の前の面談で、愛美は大原に、自分の部下の活躍をしっかりアピールし、大原も分かってくれたように見えた。それなのに、今年三十二歳になる部下は、いまだに役職に就いていない。彼女の同期の中にはすでに課長昇進を果たしたものもちらほら出てきているというのに。

女性といえば、同期の菜々の昇進も据え置かれている。

管理部からカスタマーサービスの部門へ、という彼女の異動は明らかに左遷だった。しかし表向きは、初めての妊娠による産休と育休を取得した彼女への、会社からの気遣いのようでもあり、菜々がどのように感じているのか、愛美には分かりかねた。それで、一度、菜々と話してみたいと思っていたのだ。

坂東から、三芳の話をたまに聞くことがあった。それは、三芳が菜々に「しょっちゅう怒られている」「頭が上がらない」「ストレスがたまっている」といった、三芳視点のものばかりだった。

――さすがの菜々も、子どもを産んで、性格きつくなったのかなあ。

坂東は首をひねってみせたが、どこか愛美の反応をうかがっているふうでもあった。

――菜々ちゃんがそんなに怒るなら、三芳くんに原因があるんじゃない？

愛美が言うと、

――いや、あいつは結婚してから本当に真面目になったよ。菜々のこと、怖い怖いって言ってる。

と、坂東は仲間の肩を持つ。

――ふうん。

菜々のおおらかで世話好きな性格を知っている愛美にはとても信じられない。

入社したばかりの頃、同期女子で菜々のアパートに集まっては、わいわい騒いで彼女に迷惑をかけていたものだが、菜々はいつもにこにこしていた。彼女は不機嫌になることが全くなく、いつもせっせと酒のつまみを作っては、なんでもないことのように皆に提供してくれた。工場研修で疲れていたはずなのに、狭い台所にずっと立っていた。最初のうちは遠慮していた愛美たちも、次第にそれを当たり前のように受け入れて、「居酒屋・菜々」なんて名づけて、そう言われた菜々も菜々で、嬉しそうな顔をしてくれたのだ。

菜々って本当に料理が好きなんだろうと思った。こういう子が食品会社に就職するんだな、と眩しかった。料理をできる限りサボりたいという気持ちが高じて『コトコト』を企画した自分に比べて、菜々は手料理で人をもてなすのが、心から好きなのだ。彼女が希望していた商品開発につけずに、カスタマーサービスの電話を取り続けていることを思うと、愛美の心は勝手に痛む。

彼女みたいな人をきちんと活かせる会社でないことを、苦々しく思った。

どちらかといえば、菜々は、「奪われるタイプの人」なのだ。友人をそんな目で見るのは傲慢かもしれないが、菜々のそばにいると、愛美は時々不安になった。彼女が、自分の時間や努力を人に捧げることを厭わない、優しい人だから。そして、世の中にいるのは、そういう人を大切にし、尊重する人ばかりではないから。無邪気に甘え、知らん顔で奪い、そのことに罪悪感を持たない人も少なくないから。

子どもを産んだくらいで、性格の根本は変わらない。菜々の性格がきつくなったなら、それは三芳に原因があるのではないか。

菜々は大丈夫なんだろうか。

彼女の良さを分かる人間が、彼女を支えなければいけないと、まるで使命のように感じた。

三芳との関係だけではない。会社にしても、そうだ。菜々の澄んだ希望を、どうしてこんなにも叶えられないのか。彼女のような人を起用していくことが、会社のためになるはずなのに。

その気持ちは、『コトコト』を育てている自分の部下が、正しい地位を得るべきだという思いと、底で深くつながっていた。
もっと力を持ちたいと、愛美は思った。
きちんと声をあげ、それを通していく。その力がほしかった。
自分のためだけでなく、支えたいと思う人たちのためにも、強くなりたかった。

With......

板倉麻衣　岡崎彩子　江原愛美　三芳菜々

お情け程度の梅雨があっという間に明けると、この世界はどうなってしまうのだろうと思うくらいの異様な暑さが続いた。と思うと、まだ七月だというのに大きな台風が来て、大きな雨粒がじゃんじゃんと街を濡らした。

今朝のテレビで、新型肺炎の患者数がふたたびじわじわと増えてきていると報じられていた。だけど街はもう、きりきりとしたあの自粛時代には戻れないだろうと麻衣は思う。

このあいだ、大学時代の友人たちと久しぶりに集まった。マスク会食と言われて集まったメンバーと、マスクをはずして一口、ふた口と食べるうち、誰かがぽつぽつしゃべりだし、誰かが応じ、そのうちおしゃべりが弾み、誰もマスクを気にしなくなっていた。

そういえば、同じ歳の友人の中に、子どもの小学校受験を終えた子がいた。独身の麻衣は、小学生の子のいる生活など、想像もつかない。

――あのくらいの子か……

電車に乗りながら、向いの席に座っている男の子とお母さんのふたり連れを眺める。七月も後半に入り、夏休みに入っているのだろうか。学校時代の暦を、ぼんやり思い出す。

「川だ！　川！」

と、男の子がお母さんに教えている。

電車が大きな川を渡り始めていた。麻衣は次第に緑の割合が大きくなる車窓に目をやった。都心の自宅とその周辺から離れることのない生活をしている麻衣にとって、旅行でもない限りこんなに長く電車に乗ることはない。郊外の町に赴くこともない。近所の有名店で買ったマフィンを手に、今日は愛美の家を目指している。仕事と家庭で忙しい愛美のスケジュール帳の中で、何とかこじあけてもらった午後だ。声をかけたところ、菜々と彩子も来られるという。

駅につくと、改札にはすでに菜々と愛美がいた。遅れたことを謝りながら、合流する。

「いつきー」

と、菜々が少し離れたところにいる小さな男の子に呼びかけた。ちいさな背中にリュックを背負ったその子は、菜々に突進するようにぶつかってきて、「あんまり離れないで」と声をかけられると「はーい」と言ってはまた少し遠くまで走り、それからまた突進してくるという意味不明な動きを繰り返した。時々「ママー」だとか「バス乗るの?」だとか「あれ何?」などと問いかけたりし、しかし菜々の答えを聞かずにまたどこかに行ってしまう。幼い子どものこういう姿を見て、少し前の麻衣は面倒くさく感じたものだ。今はそういう未知の動きを面白いなと思うし、子どもの目で見る世界はどのようなものだろうと、ちょっと興味もある。自分の中に、緩やかな変化が芽生えているのを感じる。

「元気だねえ、樹くん」

愛美が言うと、

「ごめんね。うるさくて。いつもこうなの……。今日、大丈夫かなあ」

菜々が心配そうに眉を寄せた。

「うちに来たら、お兄ちゃんたちのおもちゃもあるし、ネトフリも見れるし」

「なんでも破壊するから、ほんと心配で」

「わんぱく君なんだー」

そんなふたりの会話を聞いているうち、次の電車が来て、彩子が現れた。

彩子はいつのまにか、麻衣たちの元同期の西と婚約したということであった。それを聞いた時は、どこにどんな出会いがあるものだか分からないなと感心した。

麻衣も、ちょっとだけ、婚活をかじった時期があった。新型肺炎が流行る前のことだ。ネット記事のための取材も兼ねてと自分に言い訳しながら、マッチングアプリ数社に登録した。中には入会に条件をつける本気の婚活アプリもあった。

そうした場を経て、一時期麻衣は多くの男と会ったが、その結果婚活を完全に諦めた。

いや、諦めたというより、正確には「見限った」だな、と思う。

実際のところ、麻衣が会った男たちは、例外なく麻衣との再会を、あわよくば結婚を前提とした付き合いを、求めたのだった。しかし麻衣は、その中の誰とも、「もう一度会いたい」と思わなかった。当然、すべてのオファーを断ったのである。

初回の顔合わせで、男たちが、麻衣に自己ＰＲをするばかりだったのを思い出す。ＰＲの内容は多岐にわたった。分かりやすく役職や年収をほのめかす者もいれば、家族の仲の良さや友人との絆を誇る者もいた。趣味や特技について語る者も、自分の弱みを吐露する者もいた。

彼らは自分がいかに麻衣にふさわしい人間かを伝えようとした。伝え方を誤り、「実は二十代に絞って探していたけれど、麻衣さんならば全然いい」などと言った者もいたが、麻衣はそうした無神経は気にならなかった。

問題は、スタバのコーヒーを飲みながら、あるいはフランス料理のコースを食べながら、男たちが麻衣の話を、驚くほど聞かなかったことであった。

麻衣の、磨き上げられた容姿を目の当たりにし、加えて年齢、出身校、職歴といった表面的な情報を得ると、彼らはおおいに満足した。さらに、親と同居しているマンションが都内の一等地にあることや、父親が大企業の重役であることまで知れば、必要な調査は完了したようである。休日の過ごし方や、好きな映画など、ちょっとした定型の質問をしてくる者もいたが、麻衣があたりさわりなく答えると、それ以上踏み込みはしなかった。

麻衣の心の中にあるひそかな野心や、しずめようとしても生まれてしまう焦りや不安や、たとえば何かきれいなものを見た時に自然に感動する心や、それを誰かに伝えたいと思う気持ちなどに、興味のある者はいなかった。初回の顔合わせでそこまで話題が及ばないのは仕方ないとも思うが、麻衣の内側に対して興味の片りんも見せないということは、つまり、一生興味を持たないということだろうと、麻衣は思った。

男たちに会うたびに、麻衣は自分がホステスになった気がした。ホステスとの違いは、どれだけ話を聞いてやっても、一円ももらえないという点だった。麻衣は、特にそうはなりたくないのだが、男相手に聞き上手になってしまい、「へえ」「ふうん」と、良いタイミングで相槌を打ってしまう。すると、バンカーも公務員も医者も教師も調子にのり、話の終えどころが分からなくなった。

麻衣は、こうした経験をもとに「婚活アプリで１００連戦、話を聞かない男たち」という記事を書いた。

婚活女子に取材したていで、自分の体験をコラムにしたのであるが、この記事はそれほどアクセス数がつかなかった上、「そもそも女の話のほうがつまらない」「女はいつも男に求めすぎている」といった悪評のコメントがついた。

男たちは、たとえ一般論であっても、女から非難されることが許せないのだと麻衣は思った。果たして、そんな男たちの中の誰かひとりと結婚する必要が、あるのだろうか。

自分は、おそらく両親の持つ不動産や株や証券を相続するし、税金を払っても、ひとりで老いて死ぬまで経済的に苦労することはないだろうと見ている。それは甘えかもしれないが、権利でもあると思った。

もしも、心を通わせられて、一生寄り添いたいと思える相手に出会えれば、気持ちが変わるかもしれないが、今のところ麻衣は男のいない生活で満ち足りている。今後、この人とならと思える人に出会えたとして、わざわざ戸籍を変える必要があるとも思えない。とうに、結婚に夢を持つ年齢ではなくなっていた。

ただひとつ、いまだに失えない夢があるとしたら、それは子どもを持つことかもしれない。

考えたこともないし、これまで興味もなかったが、子どもを育てるというのはどんなものだろうかと麻衣は最近、少しだけ思う。大学時代の友人たちや、愛美や菜々といった同期たちの、母親としての顔を見るようになったからかもしれない。

コラム記事の題材になるかもしれないからと言い訳をして、精子バンクや卵子凍結についての情報を見てまわったりもしている。最近は、養子を育てることなども考える。

老親の介護問題が出てくるかもしれず、まったく現実味のないアイデアではあるが、心のどこかで、自分の母性を大切に思う気持ちがあった。

今の麻衣は、男抜きで、どれだけ豊かに人生を送ることができるかを考えている。

「わぁ！　Ｍａｉさん！」

改札から出てきて麻衣を見つけるなり、彩子が目を輝かせた。

「いつもＭａｉさんのVlog見てます！」

彩子から、ＯＧに憧れる女子大生のような表情で見つめられ、麻衣は

「えぇーほんと？」

と照れた。

「センスが良くて、内容も面白いし、大好きです」

彩子はさらにそう言った。

そういえば彩子は、菜々のホームパーティで初めて会った時も、やたら麻衣を持ち上げてくれた。あの時は、ふわふわとした褒め言葉の連打になんだか白けてしまったが、今は素直に嬉しいと思えたし、彩子の、屈託なく人を褒められるところは、素敵だとすら思った。

可愛い、キレイ、とそれだけ言っておけば抱けると思っている節のあった男たちに比べて、同性からの褒め言葉のほうがよっぽど純で優しいものに思える。

ああ、西はこういう子が好きなのだな……と、麻衣はなんだかまぶしい思いで、彩子を見つめた。

「Vlogって何？」

ふたりのやりとりを聞いていた菜々が麻衣に訊ねた。

「Video Logのこと。動画のブログみたいな感じ」

麻衣が答えると、

「麻衣ちゃんは今、インフルエンサーなんだよ。登録者数もすごく多くて、この間、うちのダンナのお店の商品を紹介してもらったら一気に『バズった』の」

と、愛美が解説し、「すごい！」「まさにインフルエンサーだね」と場は盛り上がった。

「これで撮ってるの」

麻衣はひと言断ってから、いつも使っている撮影用のカメラを取り出した。自撮り用の棒がついていて、四人の首から下をうつしながら歩く。この撮影は、あらかじめ皆に伝えていたことだったので、皆すんなり受け入れてくれた。

「声は入らないんだよね？」

愛美に確認される。

「うん。声は入れないし、背景もどの町か分かんないようにぼかすけど、首から下はうつるよ。それは大丈夫？」

「顔がうつらなければ大丈夫」

自分の一週間をVlogにまとめる予定だった。「女ともだちの家に遊びに行く」は、その一週間の中の、素敵な一コマになるだろう。

「なんか、こうやって人と話しながら歩くの新鮮。いつもあの子とふたりだからさ」菜々が言い、「あ、いつきー、離れるなって」と、追いかけていく。

「樹くんの後ろ姿入れていい？」

「いいけど、こんなのうつっちゃって逆に大丈夫？」

「大丈夫どころか、リュック超可愛いし。あ、彩子さんもうちょっとこっちに寄ってもらっていい？」

「はい」

と言って、彩子の腕が麻衣の腕に触れる。瞬間、ふわっとただよう香りがあった。

ぴんときて、麻衣は嬉しくなる。

わたしの香水を、まだつけてくれているんだ。

「ＭａｉさんのVlogに出られるとか、信じられないんですけど。今日のために服買っちゃいました」

撮影中、彩子は少し声がうわずっているようで、そのさまは可愛らしかった。

「もうファンじゃん」

菜々にからかわれ、

「ファンですよ」

と、言ってくれる。

麻衣は、彩子の印象がだいぶ変わったと思った。初めて会った時は、裏表のありそうなあざとい子だと思ったのに、今は素直で純粋な人に思える。

彩子が変わったというよりは、自分が変わったのかもしれないと麻衣は思った。かつての自分には、人の良いところを見ようとする余裕がなかったのかもしれない。

「ありがと。だいぶ撮れた」

撮った動画を確認してから、麻衣はカメラをオフにした。

顔も声もうつらないと言っていたのに、なんとなく緊張していたらしく、カメラを切ると、三人はリラックスしたように表情を緩ませた。

その後、愛美は自分の家へ向かうみちみち、麻衣の話をしてくれた。夫の会社がやっているサービスを麻衣が動画で紹介してくれて、そのおかげで売り上げがとても伸びただとか、麻衣の動画はとてもセンスが良くて、流れている音楽も素敵だ、など。菜々がその場で自分のアカウントを作って、麻衣のチャンネルを登録してくれた。

駅から十分ほど歩いたところにある愛美の家は、小さなガレージのついた一戸建てだった。前面が細くて奥に長いこのかたちは、狭小住宅といっていいのだろうか。ガレージといっても車の停められていないその空間にはポリバケツやら枯れた植木やら自転車やらキックボードやらが置かれ、ホームセンターでよく売られているふうな小さめの物置は錆(さ)びついている。その奥の細長い庭はほぼ放置されていて雑草が生えていた。

「どうぞ、入って」

愛美がドアを開く。玄関には子どもの靴が散乱している。今日、愛美の家に集まることになった時、「散らかっているけど」と前置きされていたのだが、それは本当だったのだと麻衣は思う。廊下にミニカーが一個あった。愛美がさりげなくそれを手に取ってポケットにしまった。やっぱり子育てって大変なんだなと麻衣はこっそり思う。

「おじゃまします」

三人が靴を脱ぎかけるとほぼ同時に、廊下の奥から男の子ふたりがドドドッと押し寄せてきた。

「優斗と春斗です、挨拶して」

愛美に言われ、男の子ふたりはもじもじと挨拶をする。そのかわいらしいさまに皆が笑顔で見交わす。

「この子、樹です。よろしくね」

菜々が自分の子を紹介する。

「何歳?」

「三歳」

「ふーん」

「優斗、春斗、一緒に遊んであげて」

「え、ママ、ゲームしていい?」

「三歳の子にもできるゲームある?」

愛美が言うと、男の子ふたりは何やらゲームの名前を言う。愛美が応じて、ポータブルのゲーム機を渡す。菜々の息子、樹は愛美の子どもたちが持ち出したゲーム機に興味があるようで、あっさり菜々から離れて子ども部屋に行く。

「最近はゲームばっかり」

苦笑いする愛美は、会社で見せていたきりりとした表情とは全く違う。お兄ちゃんふたりについていく息子の姿をちょっと心配そうに見守っている菜々も同じだ。麻衣の知らないふたりがいた。

「コーヒー淹れるねー」

愛美が台所に立つ。そのすぐ横のダイニングテーブルには子ども用の小さな椅子をふくめて四つの椅子があった。

彩子がゼリーを、菜々がクッキーを、それぞれリビングテーブルに広げた。菜々は紙皿まで持ってきていて、ちゃちゃっと並べる。

ロールケーキを手土産に持ってきた麻衣は台所に回って愛美にそれを渡したが、出しっぱなしの調味料がずらりと並び、昼ご飯のものとおぼしき皿がまだ片付けられていない流しを見て、居心地悪く感じるほどだった。有名店で買った見た目がかわいらしい、そしてとても美味しいロールケーキなのだが、こういう場合は、台所で包丁を入れなければならないものではなく、彩子や菜々が持ってきたような、小分けにできるスイーツにするべきではなかったか。

とはいえ愛美はリビングテーブルに持ってきたまな板の上でケーキを軽やかに切ってくれた。ロールケーキの可愛さに、菜々と彩子が歓声をあげてくれて、麻衣はやっぱりこの手土産にしてよかったと思いなおす。愛美はコーヒーもあっという間に淹れてくれる。子ども部屋におやつを持っていくのも忘れない。手際の良さは、同期一のスピード出世を果たしたバリキャリというより、ママ友会を仕切る主婦といった具合だ。賢い人は何をやってもできるのだなと麻衣は思う。子ども部屋はわいわいとにぎやかだが、異なる年齢の三人でうまくやっているようだ。菜々の子が時おり居間に出てくるが、愛美の子が呼びに来ると嬉しそうに戻っていく。

「彩子ちゃん、改めてだけど、西と婚約したんだよね、おめでとう」

ひと通りお菓子を味わってから、愛美が言った。

「そうそう、それだ。びっくりした。西くんてどう?」

麻衣も彩子の人生があのホームパーティから大きく変わっていったことに改めて感慨を覚える。

「どうって言うか」彩子はもじもじかわいらしく照れてから、「仲良くやってます」と素直にのろけた。

それを聞いて、

「いいね」「ほんと、おめでとう」「西くんなら安心て感じだよね」

麻衣たちははしゃぐように口々に言った。

「……派遣切りされちゃって」

彩子が言った。

麻衣は彼女の顔を見た。朗らかな表情だった。口調も、少し舌足らずに甘えるふうで、かわいらしかったから、麻衣は彩子の言う『派遣切り』が、言葉ほど深刻なことではなかったのかもしれないと、ほっとした。

しかし彩子はその朗らかな表情のまま、

「このままじゃ死ぬしかないって思いつめた時があって、頭おかしくなりそうだったの。その時に、西さんが一緒に暮らす? って言ってくれた」

と、言った。

三人はつかのま黙り込んだ。

——このままじゃ死ぬしかないって思いつめた時があって……

さりげなく発された彩子の言葉が、食卓の上にまだ残っていた。

「大変だったね。わたしの部署のアルバイトの子も、辞めちゃったよ。やっぱり、居づらくなったんだろうな……」

愛美が静かに言った。痛みを包み込むような口ぶりに、麻衣は、彩子の置かれていた状況が、自分が思うよりもずっと深刻だったのかもしれないと感じた。打ち明けた彩子が、微笑むような表情を浮かべているものだから、つい麻衣も崩れかけの笑顔のような変な顔になってしまったが、本当は、ちっとも笑えないことだったのだ。

彩子は、その微笑みのまま、

「仕方ないことだって分かってる。こんな世の中に入っちゃったし。会社とか、社員の人たちが悪いなんてことは全然思ってないんだけどね」

と言った。

「そうかな。それまで一緒に働いていた人に、急にそういうことを言い渡すようじゃ、会社として信頼をなくしてしまうよね」

愛美が申し訳なさそうに言った。

「急にっていうか……」彩子はどう話そうか逡巡するように、少し黙った。それから続けた。

「見た目上は、期限が来て、更新が終了したんだ。だから、会社には何の問題もないの。ただ、契約時には雇い止めのない会社だって言われていて、だから派遣の子たちは皆そのつもりで来ていたんだよね。実際に、何もなければ、雇い止めをすることはなかったんだと思う。だけど、非常事態になって、会社が守りの態勢に入らないとならなくなった時に切られるのが派遣だって急に分かった」

「そっかあ」

「もともと、何かあった時に雇用を調整できるようにわたしたちがいたんだと」

雇用を調整……。その言い回しを、麻衣が心の中で反芻していると、

「彩子ちゃんはすごく役に立ってたよ！」

菜々が、怒りをこらえきれないといった様子で言った。

「ありがとう。役立っていた、かな？　好きな会社だったから、本当は辞めたくなかったんだ。でも、今はわたし、資格の勉強をしてる。時間はかかるかもしれないけど、いつかちゃんと仕事にしたい」

彩子の言葉を受けて、菜々の目に涙が浮かぶ。その姿に、麻衣はじんとした。さっき『役に立ってたよ！』と言った時、それは表現としてどうなのと思ったが、菜々のこういう素朴な物言いの中にあるまごころはたしかなものだと皆が知っていた。言葉の使い方が多少ぎこちなくても、人柄はそれを超えて滲み出る。そう思ったが、

「わたしもコールセンターに異動して、実はね、お給料が下がっちゃった」

と、菜々が言うのを聞いて、麻衣は少しだけ白けた。そんなこと、わざわざ言う必要ないのに、と思った。彩子に話を合わせようとしているのかもしれないが、彩子だって、正社員の菜々から変に同情されたくないだろう。

しかし、菜々はさらにしゃべり続けた。

「なんか恥ずかしくて、同期の誰にもお給料が下がったことは言えなかった。実は今、初めて、人に言ったよ」

「そうなんだ……」

愛美がちいさくため息をつく。

「同期どころか、拓也にも言えてないんだよ。拓也なんか、もう課長になったしね。愛美はもとからすごくて……本当にすごいんだよ、愛美は。『コトコト』の総合プロデューサーなの」

と、菜々が言うと、

「『コトコト』知ってますよ。ていうか、ほぼ毎日使ってます。すごく便利で」

彩子が言う。

「でしょ」

菜々は自分のことのように喜び、

「それに比べて、わたしなんてたいしたことしていないから、お給料がぜんぜん違うのは仕方ないんだけど」

と自嘲する。愛美が、

「そんなことないよ。菜々は今、バリバリ働けないでしょ。樹くん、ちいさいし」

と言う。

「えー、でも、愛美は子どもがふたりいるのにバリバリやっているじゃん。わたしなんて、家のことだけで疲れ果てちゃっているのに」

菜々が返すと、

「菜々ちゃん。うちの子たちが小さかった時、わたしもいつも疲れていたよ。だけど、菜々ちゃんみたいに、疲れ果てはしなかった。それは、ダンナが朝、子どものことをぜんぶやってくれて、保育園に送り届けてくれて、子どもが風邪をひいたら親が迎えに行ってくれていたから。それに、家事代行やベビーシッター代の出費がものすごかったけど、ダンナがそういうことを気にしない人だったから。まあ、共働き前提でこのおうちを買っちゃったからっていうこともあるけど、ダンナはひと言も、やめたら？ とか休んだら？ とか言わなかった。そういうことを言うかわりに、できる家事を分け合っていた。うちではそれが当たり前のことだった。だけど、菜々ちゃんちはどうだった？。三芳くん、何もしてくれないでしょ？」

と、愛美が突然、決めつけるような言い方をした。

菜々が、少しだけ黙った。それから、「うん、何もしないね」、と諦めたように笑った。

「麻衣ちゃんと彩子ちゃんには言ってなかったよね。今日のお誘いをもらった時に、愛美には少しだけ話したんだけど、わたし、離婚しようと思っているんだ」

と、菜々が言った。

「もう決めたんですか？」

彩子に訊かれて、菜々が頷いた。

「……何かあったの？」

麻衣が菜々に訊ねると、

「モラハラが」

と、菜々が短く答えた。

「ええっ」

と声に出した麻衣は、隣で彩子も息をのんだことに気づいた。彩子はそのまま黙っていたが、麻衣は「やばい、何それ」とさらに言った。そして、こんなふうに驚いて見せながらも、自分は心のどこかでこうなることを知っていたような気がした。

三芳は、麻衣と一緒にいる時、おおかた紳士的だった。しかし、ばかにしても良いと本人が思う相手に対して、傲慢な発言をする。プライドが高くて、どこか危ういところがあった。

おぼろげに、記憶が像を結んでゆく。

いつだったか、タクシーに一緒に乗った時、不案内な運転手に三芳はいらついていた。そして、なんだかすごく嫌味なことを言ったのだった。なんと言ったのだったっけ……。そんな言い方しなくても、と思うような言い方をした。

麻衣もその時、道を間違えた運転手に苛立っていた。だから、料金をまけてもらうくらいは交渉したい気分だったが、三芳の言い方は度を越えていた。

飲食店の店員に対しても、そういうことがあった。え、そんな言い方する？　とちょっと引くような、ふつうの注意の仕方ではなく、子どもっぽくキレるのでもなく、何かばかにするような
――ああそうだ、タクシーの運転手に、「真面目に仕事してくださいよ」と言ったのだった。

初老の運転手は、まだ慣れていなかったのだろう、道を間違えて、明らかに焦り、困っていた。

「すみません」と謝る運転手に、二十代の若者が、真面目に仕事してくださいよ、と言ったのだ。

モラハラ……

あいつは菜々を、傷つけたのだろう。相当なモラハラが、あったのだろう。

麻衣は確信した。

「もう無理で」

と、苦笑顔で告げる菜々は、口角を上げていながら、泣き出しそうな目をしていた。

「親権、絶対取らないとね」

麻衣は真顔で言った。菜々の頬が固くなり、

「分かってる」

と真剣な顔で、答えた。


モラハラという言葉を聞いた時、彩子はドキッとしたが、自分の緊張を、西のことをよく知るこの三人に気づかれてはいけないと思った。

「どんなことがあったの」

と、麻衣が質問し、

「ひとつひとつを言うのはきりがないんだけど、とにかく毎日、彼を不機嫌にさせないことに命かけて生きてる感じで、それに疲れちゃったの」

菜々が答えていた。

「なんなのあいつ」麻衣は菜々の夫に怒り、「つらかったよね……」愛美は菜々に寄り添った。ふたりの言い方には、心がこもっていた。

彩子は、自分も何か気の利いたことを言おうとしたが、何も思いつかなかった。正確には、思いつかないというより、自分が緊張していることを悟られないようにすることだけ考えていた。

これから結婚するかもという立場なのに、おめでとうとさんざん言われた身なのに、人の夫のモラハラを、結婚後に自分にも訪れるかもしれない現実的な展開として受け止めてしまったこと

が、少しだけショックだった。

西に限ってそんなことはないはずだと頭の中で言い訳をする。優しいし穏やかだし、何より、窮地にいた自分に手をさしのべてくれた。そして、彼は、感情のブレがない。菜々の夫とはまったく違う人間だ。

それなのに、「モラハラ」というその言葉が、何だか心に引っかかっている。

菜々の夫は、どんな人なのだろう。

同い歳ではあるものの、彩子ひとりがこの会社の同期ではないので、拓也と菜々のなれそめを知らない。ただ、彩子と西のアパートに呼んだのは半年ほど前のことで、もしかしたら、あのホームパーティ以降、菜々夫婦の姿をまぢかで見たのは自分だけかもしれないと思った。

あの日、菜々と拓也はアパートの外廊下で言い争いをしていた。夫婦のちょっとした口喧嘩だと思ったが、離婚すると聞かされた今、どこか冷ややかな声色だった気がしてくる。

もうひとつ覚えているのが、拓也がのろけた時の、菜々の表情だった。ちょっと冷たいんじゃないかと思うくらいに、菜々は無表情で、拓也と目を合わさなかった。

気になった彩子は、ふたりが帰った後、西に拓也のことを訊いたのだ。

その時の西の言葉が忘れられない。

――かっこいいけど、既婚者だよ。知ってるでしょ。

西は、そう言ったのだ。

――前にうちの部署の派遣の子に、「紹介して」って言われたことがあったから。

冗談めかして、若干の卑下もこめて、西は言った。

あの時の言葉をなぜ忘れられないのかといえば、自分が描く西のイメージは、同性の容姿や、モテるかどうかといったことに、無頓着というものであったから。そういうところがいいと、思っていたから。そして、それだけでなく、家に来た時の菜々と拓也のあのぴりぴりと張りつめたような空気に、西がまったく気づいていなかったことにも驚いていた。彼に、菜々側の視点はまったくないのだなと、思った。

西が自分を救ってくれたことは事実で、その恩を忘れちゃいけないと、彩子はいつも思っている。

だけど、ほんのわずか、救ってくれたことを理由にする結婚を恐れる気持ちがあった。

それが今、じわじわと心の内側をひっかいている。

「……どう動いたらいいのか全然分からなかったから、ひとまずネットで探して、離婚とかの相談に応える弁護士さんの事務所に電話をしてみたんだよね。それで、相談料とか、いちおう確認して、とりあえず話を聞くために行ってきた」

菜々が話し、「すごいじゃん」と麻衣が面白がるように身をのりだしている。

「そしたらね、すんなり離婚できる条件って実は結構限られていて、どっちかの浮気とか、失踪とか病気とか、そういう、結婚生活を続けていくのがもう絶対に無理だろうっていう事情ならちゃんと理由になるんだけど、わたしたちみたいな『性格の不一致』は理由として認定するのが大変なんだって言われた」

「あー、それ、記事で書いたことあるわ」

「え、そうなの？　麻衣ちゃん、詳しいなら、相談すればよかった」

「いや、軽めの記事だから、それほど詳しくはない。それより菜々ちゃんすごい行動力だね。もう『許せない！』って感じだったんだね」

「許せないっていうか、ちょっと怖くなったんだよね」

「怖く？」

麻衣に訊ねられた菜々が、どう説明しようかと、迷うように視線を泳がせた。それから言う。

「彼、自分がやったことを、直後になかったことにしようとするところがあって」

「え、こわ」

「うん。怖い。そういうことが何度かあったの。たとえば、わたしに何かを投げつけたとするじゃない？　何かって言っても、紙キレとか、そんなものだよ。大けがはしない。けど、たしかに投げたわけ。それを、直後に、何もしなかったふうに言うの。……うまく言えないんだけど、言葉の中で、情報を改ざんする」

「思ったよりやばい」麻衣が顔をしかめる。

「他にもいろいろあったけど、ああ、この人って自分を良い人間だと思い込むために記憶をいじるのかもと思った。その話を弁護士さんにしたら、そういうことが複数回あれば『婚姻を継続し難い重大な事由』になるかもしれないって言ってくれて。だから今は日記をつけてる」

「証拠を取るなら、録音したほうがいいよ！　スマホの録音機能があるでしょ、あいつが帰宅したらずっとオンにして、全部記録しておくの。できればもう一台、ICレコーダーも用意したほうがいい。もし見つかった場合、一台だけ止めれば人って安心して、それを止めた後で異常に高圧的になったりするから。だから、わざと一台目を見つけさせるっていう手もあるくらい」

麻衣が妙に具体的なアドバイスをしている。もしかしたら、そういう記事も書いたのかもしれない。

「二台か。それは思いつかなかった。何かあったら録音したほうがいいとは弁護士さんにも言われてたけど」

「絶対録音。帰りにICレコーダー二台買ってくくらいの勢いで録音して」

「そうだね、そのくらいはしないとね。ただ、会話を録音するなんてちょっと卑怯な気もしちゃうよね」

菜々が言った。彩子も同感だった。「わざと一台目を見つけさせる」なんて、怖いと思う。

「卑怯？　みんなやってるよ」

麻衣が平然と返した。

「うん。離婚準備を進めてる人のアカウントをいくつかフォローしてるから、録音が大事っていうのは分かってる。だけどね、うまく言えないんだけど、自分の人生が、そういうことをするものになってきたっていうのがすごく不思議な感じがして」

と、そこで菜々が、次の言葉を探すように、目を泳がせた。

「不思議な感じ？」

彩子は訊きたくなった。「不思議」という響きが妙に心に残る。

菜々が彩子を見て、

「不思議っていうか、人生、先は何が起こるか分からないんだなって。よく言われていたことだったけど、本当にそうなんだなあって。実感」

と言い、ちいさく笑った。

「離婚するって分かっていて結婚する人はいないものね」

愛美が言った。

「そう。それ。こういう努力って、すごく苦しいんだなって分かった。別れるためにさ、記録とかそういうの、するしかないって確信している自分と、何やってるんだろって虚しくなる自分と、両方いる」

「そっか……」

「それに。もとをたどれば、こういうことになったのって、彼だけのせいには思えないんだよね。自分にも何かあったんだろうなって思うし、たぶんあった。わたし、もやっとした時に、ぜんぶ飲み込んじゃって、彼に何も言ってこなかったんだよね、ずっと。新婚旅行の行き先や、部屋のインテリアや、家事の分担のことも樹の育て方のことも。口論になるのが嫌だったし、雰囲気を悪くしたくなかったし、自分の意見をほとんど言わなかった。そういう繰り返しがあったから今がある」

「え、信じられない。それで自分が悪いとか思っちゃうの？」

麻衣が菜々を責めるような強い口ぶりになる。しかし菜々は落ち着いていて、

「悪いっていうかね、人が誰かに見せる姿って、普段その誰かからどう接されているかの裏返しのような気がしてるんだよね。つまり、彼の今の姿は、わたしが作り出したものなんだって思うんだ」

「そんなことないよ！」と、麻衣。

「いや、わたしの、なんていうかな、自分への自信の無さや、衝突を避けちゃう怠慢なところが、彼をこうしてしまった」

「怠慢？　むしろ優しさでしょ」

麻衣が言うと、菜々がちいさく首をふり、

「優しさなんかじゃないの。気が付かないふりをするのは怠慢だったと、今になって思ってる。わたしは努力をしなかった。自分がやられっぱなしだって分かっていても、ずっとそのままでいたのは、そのほうが楽だったから。楽をしてきて、そのせいで自分が作り上げてしまった人を、『もう無理』ってなって急に逃げるのは無責任かなって、ちょっと思ってる」

「菜々ちゃん、そんなふうに思う必要はない」

今度は愛美が、きっぱり言った。

「もし菜々ちゃんが三芳くんを甘やかしていたとして、それでモラハラされるのは違うから。感謝もしないで、増長してしまったのは、三芳くんの責任でしょう。彼、もう、大人なんだよ。菜々ちゃんを『やられっぱなし』にした大人の責任を、菜々ちゃんが取る必要はない。それに、母親の菜々ちゃんが苦しんでいることに、もう少ししたら樹くんは気づくと思う」

愛美の落ちついた言葉に、

「ほんとそれ。いい影響ないよ」

麻衣がすばやく同調する。

彩子は、愛美の意見には全面的に賛成なのだが、同時に何かを自分に突きつけられた気がして息が苦しくなり、相槌をうまく打てないでいた。

「うん。きっと、そうなんだよね」菜々が言う。「最近ずっとそのことを考えていて、結局、わたしが変わらないと彼が変わらないって気づいたんだよね。彼、いったん反省しても、時間がたつと、同じようなことをまたするから」

「舐めてるんだよ！　あいつ」麻衣が悔しそうに言う。

「だから、わたしが変わるためには、決断するしかない。わたしたちが変わるためには、別れるしかないって」

「うん」「そう」愛美と麻衣が大きく頷く。

「ほんとにさ、自分から別れるのって胆力がいるし、これまで怠けていた分、全部、自分に返ってきた感じで、苦しいよ。でも、わたしがそういう行動をすることが、彼に対する責任の果たし方でもあるし、ふたりのちゃんとした終わり方なんだろうって思ってる。いろいろ不安だけど、そうすることが樹のためにもなるって、信じて動くしかない」

「すごい！」麻衣が拍手した。「今、鳥肌立った。菜々ちゃん、そこまで深く考えて離婚するのか。なんかそれ、記事にしたいくらいだわ」

「やめてー」菜々が困ったように笑いながら手を振る。

「三芳くんにはどこまで話してるの？」

　愛美が訊く。

「離婚してほしいって伝えてから、はぐらかされ続けていたけど、先週も彼がまた不機嫌になって、無視されたから樹を連れて家出したの。親にも事情を話して、ようやく納得してもらえた。あとは弁護士さんとの話し合いで、今のマンションどうするかとか決めてく。前例的に慰謝料はもらえないみたいだけど、養育費は出してもらえるんじゃないかって」

現状を説明する菜々は潔かった。一緒に仕事をしていた頃と、西と暮らすアパートに招いた時と、そして今日と。彼女の姿がぐんぐん変わっているのを、彩子は感じた。

「ママー」

と声がして、子どもたちが奥の部屋から出てきた。ゲームの制限タイムが終わったらしい。母親たちは表情を変え、いっきに居間は賑やかなムードになる。

一番小さな菜々の子が菜々の膝に乗り、しかしすぐに飽きて降りると、「水飲みたい」と言いだした。菜々が自分のバックパックから水筒を出して渡すと、少し飲んで、それからまた膝に乗り、「いつ帰るの？」と訊く。「そんなこと言わないの」と菜々が焦り、「子どもって、そういうこと言うよね」と愛美が苦笑する。

「じゃあ、お姉ちゃんと遊ぶ？」

意外なことに麻衣が立ち上がった。子どもたちは、こんなに小さいのに、黒いワンピースを着た麻衣のすらりとした姿にどこか母親たちと違う雰囲気を感じるのか、ちょっと照れくさそうな、妙に嬉しげな顔をして、遊ぶ遊ぶと騒ぎ出す。

「あれ出して！」

一番大きな男の子が愛美にせがんだ。その「あれ」というのは小さなドローンのような玩具のことで、愛美がそれを出すと大騒ぎになった。

「何これ、めっちゃすごいじゃん。部屋の中でだと狭いから、どっか外に行く？」

麻衣が提案をし、子どもたちは大喜びだ。

「そうだね、この近くにドローンで遊べる場所があるから、そこで」

「いいね。ちょっとだけ撮影させて。子どもたちの顔はうつらないようにするから。あ、ちょっと鏡貸してね、日焼け止め塗り直してくるから」

化粧ポーチを手に脱衣所に向かう麻衣の後ろ姿を見送ってから、愛美は子どもたちの帽子やら虫よけスプレーやら飲み物やらを、取りそろえて出す。子どもを伴う外出にはいろいろと準備がいるのだと、彩子は感心する。

「彩子ちゃんまでごめんねー、付き合わせて」

玄関を出たところで菜々に謝られたが、彩子は全く嫌な気はしなかった。菜々の気持ちが明るく切り替わってくれるならいいなと思う。そして、さっき菜々の話を聞いた時、同時に自分に突きつけられたものについても、うっすら考えている。

——人が誰かに見せる姿って、普段からその誰かからどう接されているかの裏返しのような気がしてるんだよね。つまり、彼の今の姿は、わたしが作り出したものなんだ。

きっと、西と結婚生活を送っていく中で、自分が彼に見せる姿が、そのまま彼の自分に向ける姿を作り出すのだろう。

結婚は人を導くこともあれば、閉じ込めることもある。そんな気がした。勇気を出さないと、自分で自分を、檻に入れてしまうことになるのだ、と。

「わたし、結局、プロポーズされてないんだよね」

彩子はつぶやいた。

少し前を歩いていた菜々が振り向いて、「ん?」と訊いた。

「なんでもない」

彩子は笑ってごまかした。

プロポーズをされていないことをここで皆に言ってみたところで、状況は変わらない。

自分が西と結婚することについて、なんとなくもやもやしているのはそこかもしれないと彩子は思った。

ふたりで暮らすようになってから、だいたいのことをすべて、西に「許可」されてきた。西に、許可しているというつもりがないことは知っていた。だけど、自分がそう感じてしまっている時点で、問題なのだった。

——気が付かないふりをするのは怠慢。

黙って聞いていたけれど、菜々のその言葉を、自分こそが理解できる気がした。結婚も、許可されたような気がしていた。だから、ずっと怖かった。力関係を感じてしまうから。それでいて、西を失うのも怖かった。

「危ないよー!」

走り出す子どもたちに呼びかける菜々の後ろ姿を追いながら、彩子は自分の中に強い気持ちがゆっくりと立ち上がってくるのを感じた。

わたしから西にプロポーズしよう。彩子は決めた。

それがわたしの、西への向き合い方になる。わたしの、西への向き合い方で、わたしに向けてくれる西の姿がつくられてゆく。

麻衣が子どもたちとこんなに楽しそうに遊んでくれるのは意外だったな、と愛美は思った。たしか彼女は紫外線対策の動画もアップしていた気がするが、その割に帽子もかぶらず、きらきらした笑顔で走り回っている。

大人が本気で楽しんでいる姿は子どもにとって嬉しいものなのだろう。春斗も優斗も樹も、いい顔をして麻衣にまとわりついている。その姿を、愛美は少し離れたところからまぶしく眺めている。

今、春斗が手にしているのは、軽い素材で作られたカラフルな、いわば現代版の竹とんぼだ。トイドローンで遊べる河川敷は、風が強かったので、日陰の多いこの公園に場所を移した。小さくも空を飛ぶこうした玩具は、子どもたちの心をよくつかむ。新型肺炎が流行して休校・休園が続いた頃に、これらをネットで購入した。この公園は、しばらく前からボールで遊ぶことが禁止されてしまったので、遊具以外にこの竹とんぼやシャボン玉で目先を変えて遊ばせている。学校に行けず、部屋に閉じ込められる時期を生きる息子たちが、ほんの少しでもうきうきできるように。

今年は梅雨の時期が異常に暑く、短かったので、七月のほうが過ごしやすい日が多いように感じる。

四方を桜の木に囲まれたこの公園は、日陰が多いのでこの時期に遊ばせるにはちょうどいい。毛虫が多く出た年もあったが、今年は大丈夫そうだ。六月が異常に暑かったせいで、セミの羽化がうまくいかなかったという報道を見たが、蚊もアブといった虫も例年より少ない気がする。川のほうから吹いてくる風もあって、今日は普段より涼しいが、この子たちが生きていく未来は、温暖化とか、どうなるんだろうなどとぼんやり思う。

ふと見ると、菜々と彩子は木陰のベンチに座って、ペットボトル片手に何か話している。

かたや離婚しようと動き出し、かたや結婚を決めたばかり。同い歳の人生がそれぞれに動いていく。

そういえば、と愛美は思う。

今日出会った時、彩子と麻衣から、淡い色の花のような、優しくすてきな香りが漂っていたのだ。

ふたりが香水をつけていることに、愛美ははっとした。麻衣の動画チャンネルで、様々な形のかわいらしい小瓶とセットで、いつも少しずつ紹介されている様々な香水を、愛美はあたかも別世界のファンタジーのように流し見していた。

そういえば以前、麻衣が調合した香水をもらったことがあったが、数回つけてみただけで、習慣化することはなかった。やはり、食べ物を取り扱う仕事をしていると、香りをつけることにはちゅうちょしがちになる。

週末にもつける気になれなかったのは、心に余裕がなかったからだ。母親の病気や夫の会社の休業と向き合いつつ、子どもの様子にも常に不安を抱えていた。身につけるものを楽しむ余裕はなく、肌も髪も荒れてしまった。

ちょっと、きれいになりたいかも。

と、愛美は思った。

きれいになりたい。

それは、急に自分の心の中に流れ込んできた、新しい発想だった。そんなことを思ったのは、とても久しぶりのことで、愛美は一人で照れた。だけど、同時に、麻衣が動画で語っていた香水についての話を思い出し、なんだか勇気づけられる気がした。

その話が出たのは、香りの持続性について話す回だった。

香水は使われている成分の揮発性に細かい差があり、時間とともに香り方が変化してゆく。肌につけた時、最初の数分の香りをトップノートというそうで、次にくるのがミドルノート、その先にラストノートと呼ばれる香りがあって、最後の香りがずっと続くという話。

――ラストノートが香水の本当の香りだって言ってる人も多くて、これは、あんまり知られてないかもなんだけど、香水をつけてから、しばらく待って、だいたいミドルノートが落ち着いた頃にお出かけするといいっていわれてます。

麻衣が、自分の動画の中で、そんなふうに解説していて、へえ、と思った。

――とはいえ、ミドルノートも、ラストノートの手前の大事な香りです。強く香ることも多いので、やっぱりミドルノートがその香水の中心っていうか、わたしはミドルノートを基準に香水を選ぶことが多いかなって感じがします。

香水の香りが変化してゆくことを、愛美は知らなかった。そもそも香水をきちんとつけたこともないのだから。

その動画を見た時、愛美は「本当の香り」というものについて初めて思い巡らせたのだった。

「はー疲れた。ちょっと休ませてー」

遊び疲れたらしく、麻衣が愛美の隣に駆けて来た。汗が額にはりつき、木漏れ日がきらきらと跳ねて、麻衣の姿は美しかった。

優斗と春斗はそれぞれ水を飲むと元気になってブランコに向かってゆく。樹は少し疲れたのか菜々の膝に乗っている。夕方にさしかかり、光の色みが少しずつ変わっていく。風が静かに吹き抜けた。

「お疲れさまー。ありがとね、遊んでくれて」

愛美が言うと、

「いやー、いい絵が撮れた！」

満足そうに、麻衣が笑いながら、バッグから日焼け止めを取り出して顔に塗り直している。汗を散らしながらもなお、麻衣からは可憐な香りがした。鏡も見ないでムラなく塗っていくのを、さすがだなと思って愛美は見ている。

ふと愛美は、麻衣に訊きたくなった。

「ねえ、麻衣ちゃんていつもいいにおいするよね。今日も手作りの香水つけてるの？」

「ん？ これ？ これは市販のやつだけど。最近はあんまり作ってないんだよね」

「麻衣ちゃんの動画で、香水の香りが変わってゆくっていう話があったじゃん」

「うん？」

「なんか、そのこと、思い出してた」

「なんでー？」

麻衣が朗らかに笑った。

ちょっと乗っただけでブランコにすぐ飽きた春斗と優斗が麻衣を求めて走ってくる。はいはい、と言いながら子どもたちのほうに向かってゆく麻衣を見て、愛美は笑った。

わたしたちもまさにミドルノートだね。

と、さっき言おうとして、愛美は言わなかった。だけど、自分たちはまだ「ラストノート」の段階ではない気がした。それぞれに迷ったり苦しんだりして、いろいろあるけど、ひとまずまだ本当の自分にはなっていないというところ。それならば、本当の自分にいつなれるのか、自分に本当や嘘があるのか、考え出したらきりがないけれど、それでも今の自分たちがミドルノートだということだけは確信をもって、感じられた。

子どもたちが再びブランコで遊び出すと、麻衣はまたこちらに戻ってきた。

「わたし、麻衣さんがくれた香水つけてますよ」

いつの間にか彩子と菜々もそばにいて、彩子がそう言った。

「菜々さんのおうちに呼んでもらった時。まだ、こういう世の中になる前の。あの時、麻衣さんに香水のお話をしてもらったの覚えてます」

こういう世の中。人と会ったり、集まったりすることに、こんなに神経をつかわなければならない世界が来るなんて、あの頃は想像もしていなかった。

「えー、わたし、そんな話したっけ」

麻衣が首をかしげる。

「した、した」

と、菜々も言っているが、愛美はあまり覚えていなかった。

「自分ではあんまり変化に気づけないのだけど、たぶん、少しずつ確実に変わっているんだろうなって。面白いなって思って。いただいて、しばらく経ってからなんですが、麻衣さんの香水をたまにつけるようになったんです」

彩子が言った。

「え、まだ使ってくれてるの。香り、落ちてない？」

そう訊く麻衣が、嬉しさをこらえきれないといったふうに、顔を赤らめる。

「大丈夫みたいです」

彩子が答えると、

「じゃあ、また作ってみようかな」

麻衣が言い、作ってほしいと、愛美は心から思った。

そして、この先、大事な人たちを失うことになるのだろう三芳についても考えた。

あいつが、取り返しのつかないことをして、菜々ちゃんと樹と離れなければならないのは、もはや仕方のないことだ。だけど、もしかしたら三芳もまた、本当の彼になるためのまだ準備中なのかもしれない。同期として、せめてそう考えてあげたいと、愛美は思った。

その時、首筋にぽつっとしずくを感じた。

「夕立くるかも？」

愛美はつぶやき、「そろそろ帰ろう！」と皆に呼びかけた。不満そうな顔で、遊びを続けたがる子どもたちも、雨かも、と言われれば納得し、いそいそと帰り支度を始める。

思ったとおり、途中で雨が降り出した。

晴雨兼用の傘を持ってきた彩子がそれを広げるが、さすがに皆で入れず、走った。

走りながら、「雨だー」と春斗が言い、「ほら静かに！」と口では言ったが、優斗も「雨だー」と大きな声を出したので、愛美は内心嬉しかった。

外で、子どもたちとたくさん遊んでくれた麻衣に心から感謝した。この家まで来てくれた彩子にも、菜々にも。ぱらぱらと細かい雨粒を頬に受けながら、愛美は、変化していく今のただ中を生きている自分たちを、尊く思った。

通りを曲がると家が見えてきた。なまあたたかい雨のしずくが地面をぬらしきる前に、たどり着けた。皆の髪がぬれているので、タオルを出さなければと思った。

この先、西と彩子がどんな家庭をつくるのか、麻衣の動画チャンネルがどうなるのか、シングルマザーになる菜々がどんなふうに暮らしてゆくのか、今はまだ、何も分からない。自分たち家族のこの先も、今はまだ分からない。準備しても、予測しても、本当は、先のことなど、誰にも何も分からないのだ。

だけど、それも含めて、本当の自分になるための今を生きている。

分かることは、自分が、今日の最後に、また来てねと皆に言うということ。それが、心からの言葉であること。

「ただいまー」

誰もいない家に向かって優斗と春斗が大きな声を出し、後に続く皆も、同じことを言った。

初出
「日経 xwoman（クロスウーマン）」配信
二〇二一年五月二〇日〜二〇二二年二月一〇日、
二〇二二年四月二八日〜二〇二三年三月二九日まで連載。
単行本化にあたり、加筆、修正を行いました。

本作品はフィクションです。実在の組織、団体、個人とは
一切関係ありません。
（編集部）

［著者略歴］
朝比奈あすか（あさひな・あすか）
1976年東京都生まれ。会社員を経て、2000年にノンフィクション『光さす故郷へ』（マガジンハウス）を刊行。06年、群像新人文学賞受賞作『憂鬱なハスビーン』（講談社）で作家デビュー。以降、働く女性や子ども同士の関係を題材に、多数の作品を執筆。主な著書に『闘う女』（小社）、『憧れの女の子』『自画像』『人生のピース』『ななみの海』（双葉社）、『あの子が欲しい』（講談社）、『さよなら獣』（中央公論新社）、『人間タワー』（文藝春秋）、『君たちは今が世界（すべて）』（KADOKAWA）、『翼の翼』（光文社）などがある。

ミドルノート

2023年10月2日　初版第1刷発行

著　者／朝比奈あすか
発行者／岩野裕一
発行所／株式会社実業之日本社
〒107-0062
東京都港区南青山6-6-22　emergence 2
電話（編集）03-6809-0473　（販売）03-6809-0495
https://www.j-n.co.jp/
小社のプライバシー・ポリシーは上記ホームページをご覧ください。

ＤＴＰ／ラッシュ
印刷所／大日本印刷株式会社
製本所／大日本印刷株式会社

ISBN978-4-408-53843-3（第二文芸）